سَنابِلُ الْعَرَبِيَّة

الْمُسْتَوى الأَوَّل

العربيّة للنّاطقين بغيرها

Dar Al Zeenat

تأليف

أ. زينات عبد الهادي الكرمي

د. راشد علي عيسى

الْوَحْدَة	الدَّرْس	الْأَهْداف	الْمَهاراتُ الْقِرائِيَّةُ وَالْكِتابِيَّةُ	التَّراكيبُ وَالْأَنْماطُ اللُّغَوِيَّةُ
1 مِنْ مِثْلي	1 بَيْتُ داني وَبُدور 2 أَنا أَرْسُمُ	- يتعرّف مسمّيات أقسام البيت. - يتعرّف مسمّيات أثاث غرفة النّوم. - يساعد في أعمال البيت. - يحبّ بيته ويحافظ على نظافته وترتيبه. - يتعرّف مسمّيات مرافق المدرسة. - يتعرّف مسمّيات موجودات غرفة الصّفّ. - يتبيّن أهمّيّة المدرسة. - يحبّ مدرسته ويحافظ على نظافتها.	- يتعرّف أصوات وأشكال الحروف: ب، ا، و، ي، ء، أَ، أُ، إِ، ء - يتعرّف الحركات: الفتحة، والضّمّة، والكسرة، والسّكون. - يلفظ مفردات تحتوي الحروف الّتي تعلّمها. - يقرأ مفردات مقرونة بالصّور. - يكتب الحروف الّتي تعلّمها. - يركّب المقاطع: با، بو، بي. - يركّب الكلمات: بابا، باب.	- يعبّر عن نفسه بالتذكير أو التأنيث. - يستخدم ضمير المتكلم (أنا) مع الفعل المضارع. - يستخدم ضمير الغائب (هو، هي) مع الفعل المضارع.
2 أَخْلاقي	1 مَتْجَرُ مَدينَتي 2 جَدّي وَجَدَّتي	- يتعرّف مسميات بعض موجودات المتجر. - يتبع التعليمات ولا يأكل الفواكه قبل غسلها. - يساعد والده في المتجر. - يحرص على طاعة والديه. - يبادر لمساعدة جدّه وجدّته. - يحترم جدّه ويجلسه مكانه. - يتحدّث بلطف ويبتعد عن الصراخ. - يساعد في ترتيب خزانته وأدواته. - يبتعد عن إزعاج الآخرين. - يحفظ النشيد ملحناً.	- يتعرّف أصوات وأشكال الحروف: ت، ث، ج، ح، خ. - يميز بين التاء المفتوحة والتاء المربوطة. - يركب مقاطع المدّ مع الحروف التي تعلمها. - يركب كلمات من حروف تعلمها. - يميز المختلف في الكلمات ويذكر السبب. - يميز الحرف المشترك في مجموعة من الكلمات. - يكتب الحروف الّتي تعلّمها.	- يستخدم تذكير وتأنيث الفعل الماضي. - يتعرّف جمع بعض المفردات. - يستخدم نمط الفعل المضارع مع ضمير المتكلم (أنا). - يستخدم ضمير الغائب (هو، هي) مع الفعل المضارع. - يكون جملاً من مفردات محدّدة.
3 عَلاقاتي	1 في بَيْتي 2 داني وَزاهي	- يساعد أفراد أسرته في البيت. - يتحدّث بأدب مع أفراد أسرته. - يبتعد عن الأخطاء المقصودة. - يعتذر عن الخطأ غير المقصود. - يسامح ويقبل اعتذار الآخرين. - يستأذن قبل الخروج من البيت. - يراعي آداب الزّيارة. - يشاهد البرامج المفيدة في التلفاز. - يشارك صديقه اللعب. - يشكر من يقدّم له خدمة. - يطيع والديه ويلتزم بموعده.	- يتعرّف أصوات وأشكال الحروف: د، ذ، ر، ز، س. - يتعرّف الشدّة. - يركب مقاطع المدّ مع الحروف التي تعلمها. - يقرأ مفردات مقرونة بالصور. - يميز المختلف في كلمات تعلمها ويذكر السبب. - يكتب الحروف التي تعلمها. - يميز المقاطع في كلمات تعلمها. - يركب كلمات من حروف تعلمها.	- يتعرّف جمع بعض المفردات. - يستخدم نمط الفعل المضارع مع ضمير المتكلم (أنا). - يستخدم ضمير الغائب (هو، هي) مع الفعل المضارع. - يتبين جمع بعض المفردات.

الْوَحْدَة	الدَّرْس	الْأَهْداف	الْمَهاراتُ الْقِرائِيَّةُ وَالْكِتابِيَّةُ	التَّراكيبُ وَالْأَنْماطُ اللُّغَوِيَّةُ
4 صِحَّتي وَسَلامَتي	1 طَقْسٌ بارِدٌ 2 طَعامٌ صِحِّيٌّ	- يتبيّن سبب الدّخول إلى المستشفى. - يحافظ على سلامته ويلبس الملابس المناسبة للفصل. - يحافظ على صحّته ويتناول الطّعام الصّحّيّ. - يقارن بين فصليّ الصّيف والشّتاء. - يحرص على شرب العصير الطّازج. - يسمّي أطعمة صحّيّة. - يحافظ على سلامته ولا يجلس تحت الشّمس. - يميّز بين النّظارة الشّمسيّة والنّظارة الطّبّيّة. - يحافظ على سلامته ويراعي آداب المرور. - يحافظ على سلامته في حديقة الألعاب. - يحفظ النّشيد ملحناً.	- يتعرّف أصوات وأشكال الحروف: ش، ص، ض، ط، ظ - يتعرّف تنوين الفتح والضّمّ والكسر. - يكتب الحروف الّتي تعلّمها. - يركّب كلمات من حروف تعلمها. - يركّب جملاً من كلمات تعلمها. - يميز المختلف في الكلمات ويذكر السبب. - يميز الحرف المشترك في مجموعة من الكلمات. - يعبر عن الصور بجمل مفيدة. - يقارن بين صورتين.	- يستخدم تذكير وتأنيث الفعل الماضي. - يتعرف جمع بعض المفردات. - يميز الألوان ويعبر عنها. - يستخدم نمط الجملة الاسمية من مبتدأ وخبر.
5 اهْتِماماتي	1 أَنا أُساعِدُ 2 مَكْتَبَتي وَأَلْعابي	- يبدي اهتمامًا بالزّراعة ومساعدة والده. - يلعب ويطيع والديه ليحافظ على سلامته. - يشارك في أعمال البيت. - يقلد حركات بعض الحيوانات. - يقصّ ويلصق ليعمل أشكالًا يحبها. - يشارك أصحابه اللعب والعمل. - يعتزّ بمكتبته ويحافظ عليها. - يرتب ألعابه ويحافظ عليها.	- يتعرّف أصوات وأشكال الحروف: ع، غ، ف، ق، ك - يكتب الحروف والمقاطع التي تعلمها. - يركب كلمات من حروف تعلمها. - يركب جملاً من كلمات تعلمها. - يعبر عن الصور بجمل سليمة. - يميز المدود في كلمات تعلمها. - يميز المختلف ويذكر السبب.	- يستخدم نمط الجملة الاسمية من مبتدأ وخبر. - يستخدم نمط الجملة الاسمية خبرها جملة فعلية. - يتعرّف بعض الأضداد.
6 عالَمي الْواسِعُ	1 في حاسوبي 2 داني والهُدْهُد	- يستثمر الحاسوب للتعرّف على عالمه الواسع. - يقبل على التزوّد بالمعرفة والعلم. - يلاحظ القمر والنجوم في السماء. - يتعرّف دبّ الباندا وطعامه. - يتعرّف الهدهد وبعض ميزاته. - يرفق بالحيوان ولا يؤذيه. - يذكر مسميات أجزاء جسمه. - يسمي مناطق أثرية في بلده. - يعرّف عن نفسه وبلده. - يحفظ النشيد ملحناً.	- يتعرّف أصوات وأشكال الحروف: م، ن، ل، هـ، آ، ى، الـ - يتعرّف ال التعريف الشمسية والقمرية. - يميز الهاء المربوطة. - يميز التاء المربوطة. - يميز التنوين. - يركب كلمات من مقاطع وحروف تعلمها. - يركب جملاً من كلمات تعلمها. - يعبر عن الصور بجمل مفيدة. - يتبيّن الفصول وأيّام الأسبوع.	- يستخدم نمط الجملة الاسمية. - يستخدم اسمي الإشارة (هذا وهذه). - يستخدم الضمائر: أنا، هو، هي مع الفعل المضارع.

سَنابِلُ العَرَبِيَّة

دار الزينات للنشر والتوزيع

عمان - الأردن

الطبعة: 2020

تأليف: زينات عبد الهادي الكرمي - د. راشد علي عيسى

رسوم: د. منير زيدان

Designed By: Samer Haimi AlShalaby

رقم الإيداع: 4837 / 9 / 2018

الرقم المعياري: 978-9923-700-70-9

Noorart
www.noorart.com
Distributed exclusively by Noorart in North & South America, UK & Europe, Australia & Far East.

Dar Al Hayat BOOK SHOP
الموزع المعتمد في دولة الإمارات العربية المتحدة
مكتبة دار الحياة - الشارقة www.daralhayat.ae

Printed in Jordan

Dar Al Zeenat

دار الزينات للنشر والتوزيع

Dar AlZeenat Co. Publishing & Distribution

www.darzeenat.com - info@darzeenat.com - Tel: +962 796662992

Online Contents
محتوى الاستماع متاح الكترونيا
Audio content is available online

المطابع المركزية
عمان - الأردن

الْوَحْدَةُ الأُولى

مَنْ مِثْلي؟

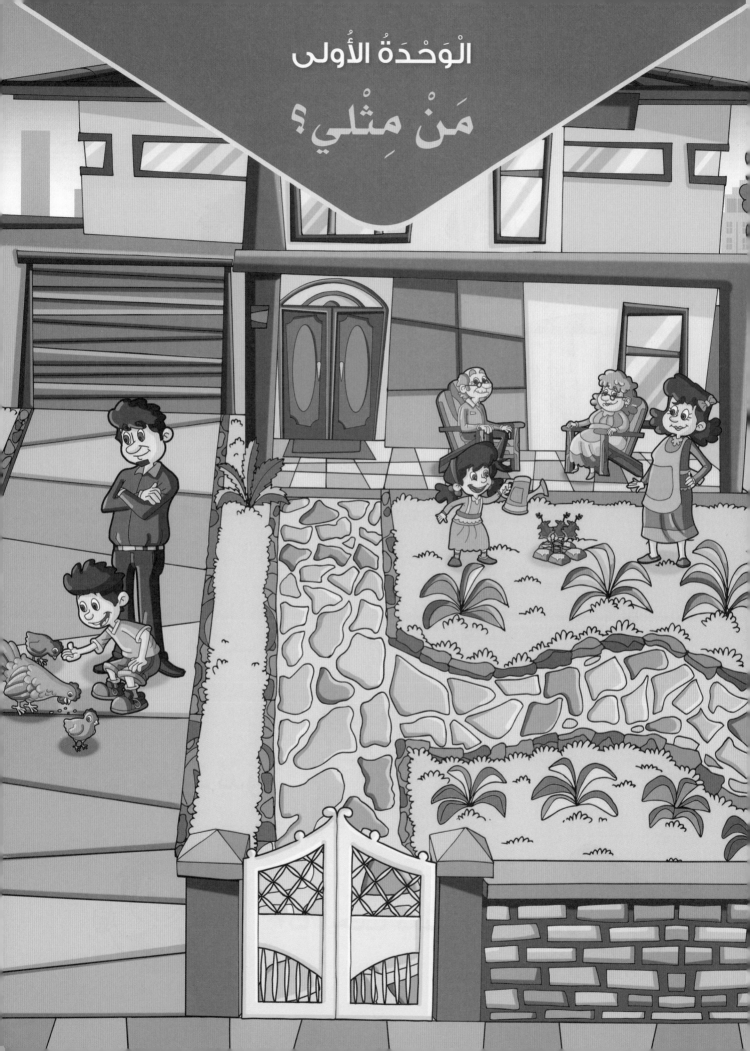

الدَّرْسُ الأَوَّلُ

بَيْتُ داني وَبُدور

1 أُرَدِّدُ وَأَقْرَأُ

داني وَلَد وَبُدور بِنْت.

خِزانَةُ داني مُرَتَّبَة.

سَريرُ داني مُرَتَّب.

مَكْتَبُ بُدور مُرَتَّب.

داني يَرْسُمُ يَدَ بُدور.

أَنا أُحِبُّ بَيْتي.

2 أَسْتَمِعُ وَأُرَدِّدُ

غُرْفَةُ ضُيوف

غُرْفَةُ جُلوس

غُرْفَةُ طَعام

غُرْفَةُ نَوْم

مَطْبَخ

حَمّام

حَرْفُ الْباء

ب ـبـ

1 أَقْرَأُ وَأُلاحِظُ حَرْفَ الْباءِ

مَكْتَبُ بُدور مُرَتَّب.

ب بـ ب

بَيْتُ بُدور

بابُ بَيْتِ بُدور

بُدور بِنْت

مَطْبَخ

2 أَقْرَأُ وَأَصِلُ الْكَلِمَةَ بِالصّورَةِ الْمُناسِبَةِ

باب

بُدور

بَيْت

مَكْتَب

3 أَكْتُبُ

ب بـ

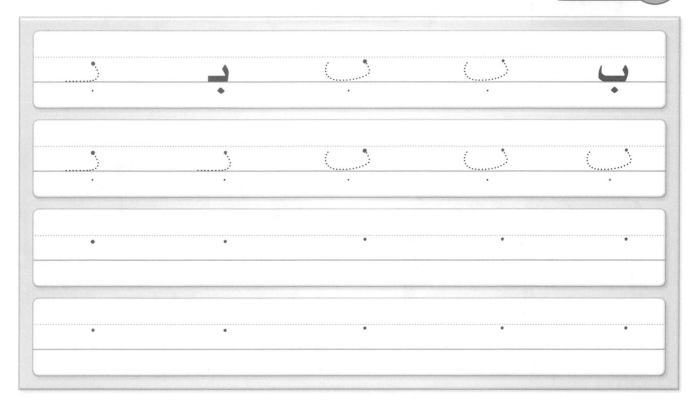

حَرْفُ الأَلِف

ا

1 أَقْرَأُ وَأُلاحِظُ حَرْفَ الأَلِف

خِزانَةُ داني مُرَتَّبَة.

ا ا

داني

خِزانَة

باب

حَمّام

طَعام

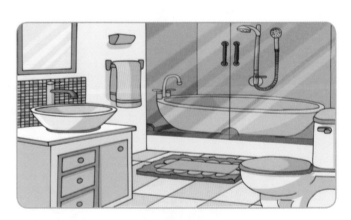

2 أَقْرَأُ وَأَصِلُ الْكَلِمَةَ بِالصّورَةِ الْمُناسِبَةِ

داني

خِزانَة

طَعام

حَمّام

3 أَكْتُبُ

ا

حَرْفُ الْواو

و

1 أَقْرَأُ وَأُلاحِظُ حَرْفَ الْواو

داني وَلَد وَ بُدور بِنْت.

و و و

غُرْفَةُ ضُيوف

غُرْفَةُ جُلوس

غُرْفَةُ نَوْم

وَلَد وَ بِنْت

2 أَقْرَأُ وَأَصِلُ الْجُمْلَةَ بِالصّورَةِ الْمُناسِبَةِ

داني وَلَد

بُدور بِنْت

3 أَصِلُ بَيْنَ الْكَلِماتِ الْمُتَماثِلَةِ

وَلَد بُدور جُلوس ضُيوف نَوْم

بُدور جُلوس وَلَد نَوْم ضُيوف

4 أَكْتُبُ

و

حَرْفُ الْياء

ي ـيـ

1 أَقْرَأُ وَأُلاحِظُ حَرْفَ الْياءِ

داني يَرْسُمُ يَدَ بُدور.

ي يـ يـ

يَرْسُمُ

يَد

داني

سَرير

2 أَقْرَأُ وَأَصِلُ الْكَلِمَةَ بِالصّورَةِ الْمُناسِبَةِ

يَد

يَرْسُمُ

داني

سَرير

3 أَكْتُبُ

ي

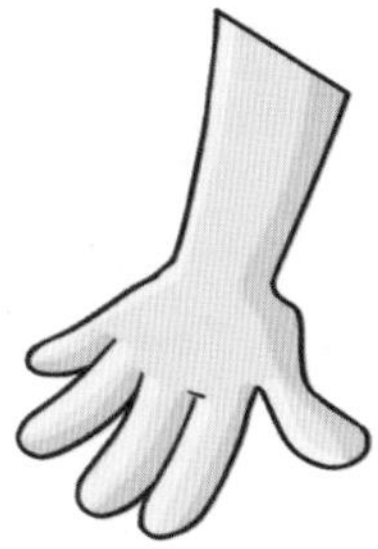

الدَّرْسُ الثّاني

أَنا أَرْسُمُ

1 أُرَدِّدُ وَأَقْرَأُ

أَنا أَرْسُمُ وَرْدَة حَمْراء.

وَ أَخي يَرْسُمُ إِبْريقَ ماء،

أَنا أُلَوِّنُ رَسْمَةَ فَأْر،

وَ أُخْتي تُلَوِّنُ رَسْمَةَ أُخْطُبوط.

أَنا أَقْرَأُ

وَ أَكْتُبُ،

وَ أُخْتي تَقْرَأُ

وَ تَكْتُبُ.

أَنا أُحِبُّ مَدْرَسَتي.

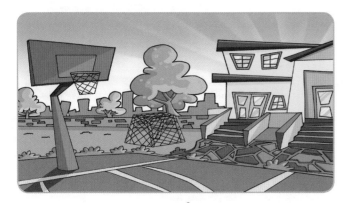

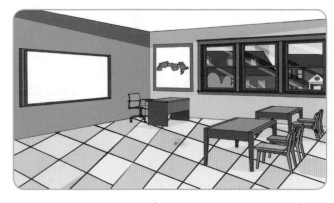

2 أَسْتَمِعُ وَأُرَدِّدُ

صَفّ

مَلْعَب

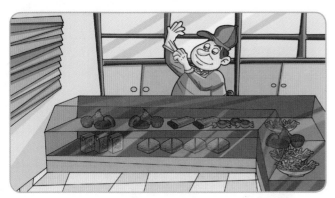

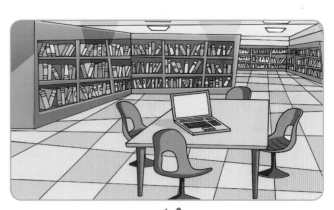

مَكْتَبَة

مَقْصِف

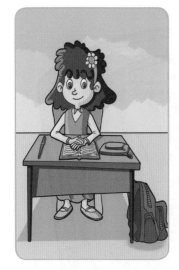

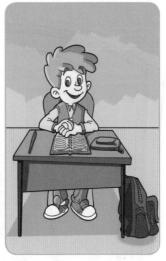

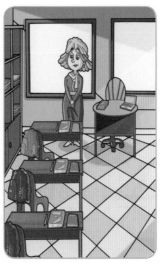

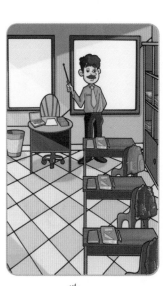

مُعَلِّم

مُعَلِّمَة

طالِب

طالِبَة

الْحَرَكات

1 أَسْتَمِعُ وَأُرَدِّدُ

الْفَتْحَة ◌َ — الضَّمَّة ◌ُ — الْكَسْرَة ◌ِ — السُّكون ◌ْ

بَ — بُ — بِ — بْ

2 أَقْرَأُ

بَ بَيْت

بُ بُدور

بِ بِنْت

بْ إِبْريق

بابُ بَيْتِ بُدور

3 أُرَكِّبُ وَأَقْرَأُ

بِـ + ي	بُـ + و	بَـ + ا
بي	بو	با

با + ب	با + با
باب	بابا

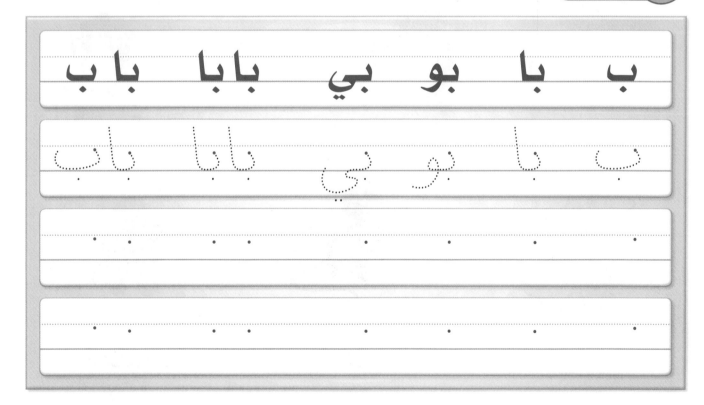

4 أَكْتُبُ

ب   با   بو   بي   بابا   باب

ب   با   بو   بي   بابا   باب

الْهَمْزَة ء أَ أُ إِ

1 أَقْرَأُ وَأُلاحِظُ ء أَ أُ إِ أْ

أَنا أَرْسُمُ إِبْريقَ ماء.

أَ أَ إِ ء

وَرْدَةٌ حَمْراء

إِبْريق ماء

أَنا أَقْرَأُ

أَنا أَكْتُبُ

أُخْطُبوط

فَأْر

أَرْنَب

2 أَقْرَأُ وَأَصِلُ الْكَلِمَةَ بِالصّورَةِ الْمُناسِبَةِ

أَرْنَب

أُخْطُبوط

إِبْريق

فَأْر

ماء

3 أَكْتُبُ

ء أَ أُ إِ أْ

4 أَصِلُ الْحَرْفَ بِالْكَلِمَةِ الَّتي تَحْتَوي عَلَيْهِ

ب ا و ي ء

داني بَيْت بُدور ماء وَلَد

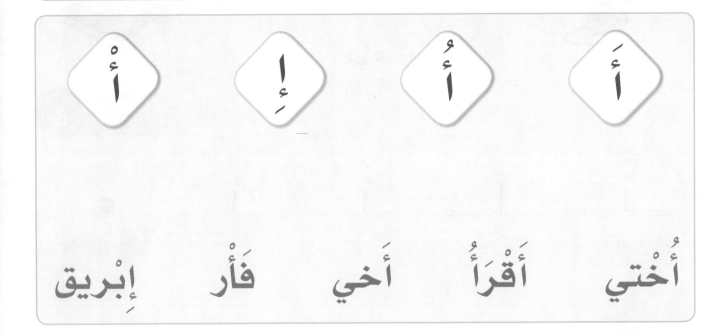

أَ أُ إِ أْ

أُخْتي أَقْرَأُ أَخي فَأْر إِبْريق

5 أُلَوِّنُ

با بو بي أَبي

بُدور	بُدور	بَيْت	بُدور
وَلَد	بِنْت	وَلَد	وَلَد
سَرير	سَرير	سَرير	يَد
أَرْنَب	مَكْتَب	مَكْتَب	مَكْتَب
ماء	ماء	حَمْراء	ماء
أُخْطُبوط	إِبْريق	إِبْريق	إِبْريق

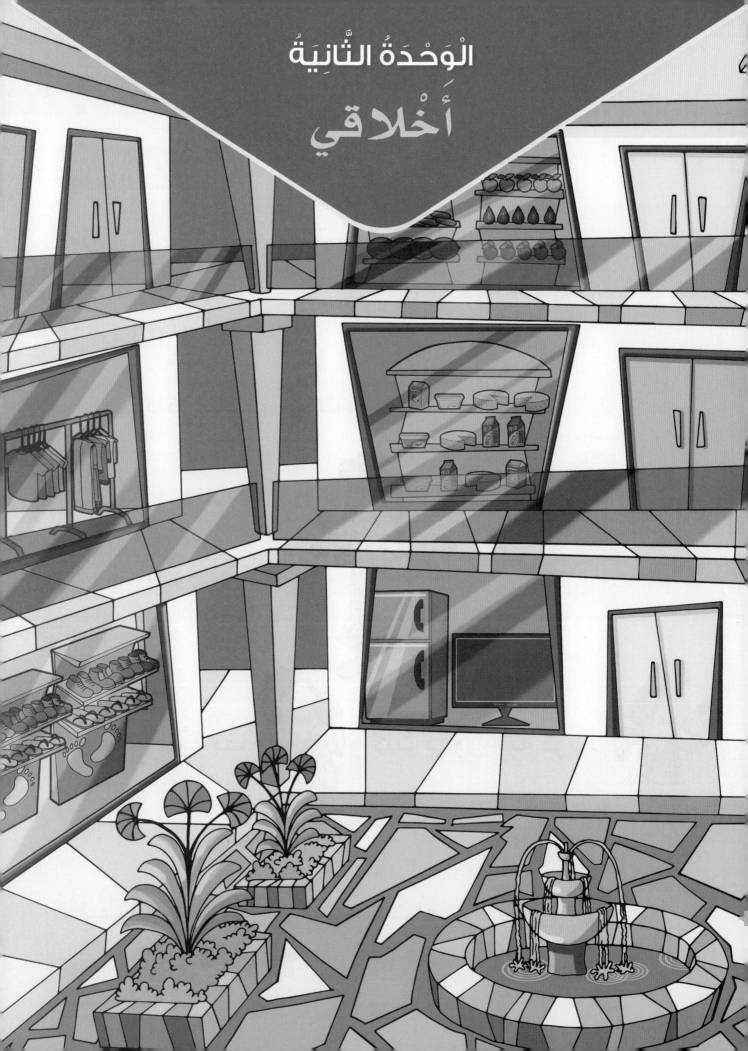

الْوَحْدَةُ الثَّانِيَةُ

أَخْلاقي

مَتْجَرُ مَدينَتي

1 أَقْرَأُ

أُسْرَتي في مَتْجَرِ مَدينَتي.

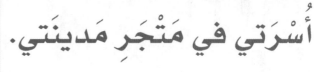

في سَلَّةِ داني ثَلاثُ حَبّاتِ تُفّاح.

في سَلَّةِ بُدور توت.

أَكَلَ داني حَبَّةَ تُفّاح، وَأَكَلَتْ بُدور حَبَّةَ توت.

غَضِبَ أَبي، وَغَضِبَتْ أُمّي.

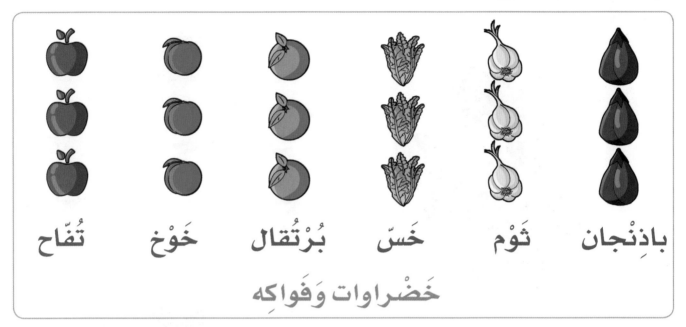

2 أَسْتَمِعُ وَأُرَدِّدُ

باذِنْجان ثَوْم خَسّ بُرْتُقال خَوْخ تُفّاح

خَضْراوات وَفَواكِه

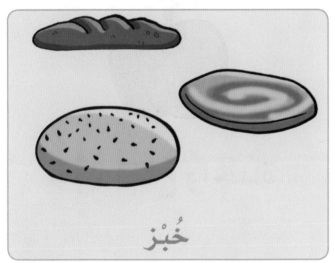

حَليب لَبَن جُبْن

أَلْبان وَأَجْبان

خُبْز

بِنْطال ثَوْب قَميص

مَلابِس

مِلْعَقَة صَحْن شَوْكَة

أَدَواتُ مَطْبَخ

حَرْفُ التّاء ت تـ ة ـة

1 أَقْرَأُ وَأُلاحِظُ حَرْفَ التّاء

أَكَلَتْ بُدور حَبَّةَ توت.

ت تـ ت

حَبَّةُ تُفّاح واحِدَة.

حَبَّةُ توت واحِدَة.

سَلَّةُ تُفّاح.

مَتْجَرُ مَدينَتي.

2 أَقْرَأُ وَأَصِلُ الْكَلِمَةَ بِالصّورَةِ الْمُناسِبَةِ

توت

أُسْرَتي

غَضِبَتْ

تفّاحَة واحِدَة

3 أَكْتُبُ

ت ت تـ ة ـة

حَرْفُ الثّاء

ث ثـ

1 أَقْرَأُ وَأُلاحِظُ حَرْفَ الثَّاء

ثَلاثُ حَبّاتِ تُفّاح.

ث ثـ

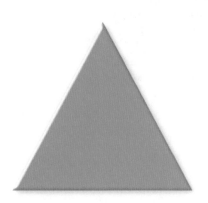

مُثَلَّث واحِد.

ثَلاثُ حَبّاتِ توت.

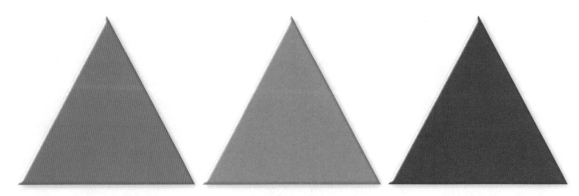

ثَلاثَةُ مُثَلَّثات.

2 أَقْرَأُ وَأَصِلُ بَيْنَ الْكَلِماتِ الْمُتَماثِلَةِ

3 ثَلاثَة	مُثَلَّث
مُثَلَّث	ثَلْج
ثَوْب	ثَلاثَة 3
ثَلْج	ثَوْب

3 أَكْتُبُ

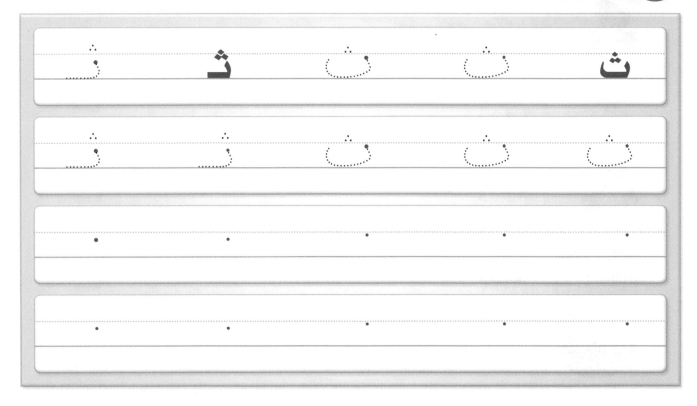

ث ـثـ ـث

4 أُرَكِّبُ وَأَقْرَأُ

تَ ا	تُ و	تِ ي
تا	تو	تي
ثَ ا	ثُ و	ثِ ي
ثا	ثو	ثي

5 أَصِلُ الْحَرْفَ بِالْكَلِمَةِ الَّتي تَحْتَوي عَلَيْهِ

ثَ	غَضِبَتْ
بِ	ثَوْب
بَ	بِنْت
تْ	بَيْت
ـة	سَلَّة

6 أُرَكِّبُ وَأَقْرَأُ

بَـ يْـ ت

بيت

بُـ يـ و ت

بيوت

ثَـ وْ ب

ثوب

أَ ثْـ و ا ب

أثواب

7 أَكْتُبُ

بيت بيوت أَبِي

بيت بيوت أَبِي

ثوب أَثواب توت

ثوب أَثواب توت

الدَّرْسُ الثَّاني

جَدِّي وَجَدَّتي

1 أُرَدِّدُ وَأَقْرَأُ

أَفْتَحُ بابَ بَيْتي.

أَفْرَحُ وَأَحْمِلُ حَقيبَةَ جَدّي.

أَجْلِسُ وَلا أُزْعِجُ جَدَّتي.

أَخْفِضُ صَوْتي وَلا أَصْرُخُ .

أُرَتِّبُ خِزانَتي.

أُحِبُّ جَدّي وَجَدَّتي.

2 أَسْتَمِعُ وَأُرَدِّدُ

أُرَحِّبُ بِجَدّي وَجَدَّتي

أَحْتَرِمُ جَدّي وَجَدَّتي

أَتَحَدَّثُ بِأَدَب

أُرَتِّبُ خِزانَتي

لا أُزْعِجُ

لا أَصْرُخُ

حَرْفُ الْجيم

ج　جـ

1 أَقْرَأُ وَأُلاحِظُ حَرْفَ الْجيم

أَجْلِسُ وَلا أُزْعِجُ جَدَّتي.

جـ　　ج جـ

غُرْفَةُ جُلوس

أَنا أَجْلِسُ

جَدّي

جَدَّتي

تاج

أُزْعِجُ

دَرّاجَة

2 أَقْرَأُ وَأَصِلُ الْكَلِمَةَ بِالصّورَةِ الْمُناسِبَةِ

تاج

جَدّي

جَدَّتي

أَجْلِسُ

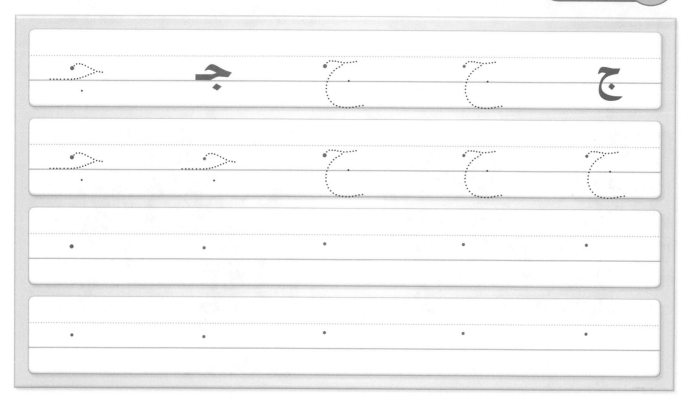

3 أَكْتُبُ

ج جـ

حَرْفُ الْحاء

ح حـ

1 أَقْرَأُ وَأُلاحِظُ حَرْفَ الْحاء

أَفْرَحُ وَأَحْمِلُ حَقيبَةَ جَدّي.

ح ـحـ حـ

أَفْتَحُ بابَ بَيْتي

أَهْلًا وَسَهْلًا

أُرَحِّبُ بِجَدّي وَجَدَّتي

أَحْتَرِمُ جَدّي وَجَدَّتي

أَتَحَدَّثُ بِأَدَبٍ

2 أَقْرَأُ وَأَصِلُ الْكَلِمَةَ بِالصّورَةِ الْمُناسِبَةِ

تُفّاح

حَليب

حَقيبَة

أَفْتَحُ

أَحْمِلُ

3 أَكْتُبُ

ح ح ح ـحـ ـحـ

ح ح ح ـحـ ـحـ

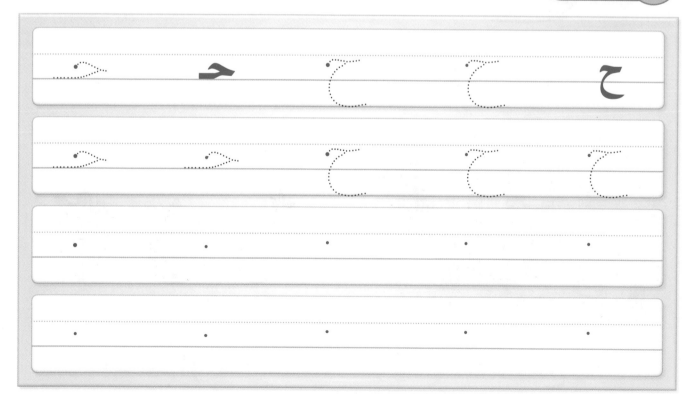

حَرْفُ الْخاء

خـ خ

1 أَقْرَأُ وَأُلاحِظُ حَرْفَ الْخاء

أَخْفِضُ صَوْتي وَلا أَصْرُخُ.

خـ خ

خَوْخ أَخْضَر.

خُبْز ساخِن.

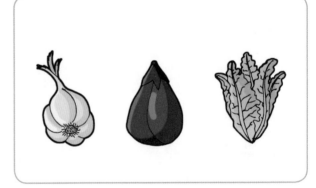

خَضْراوات

مَطْبَخ

2 أَقْرَأُ وَأَصِلُ الْكَلِمَةَ بِالصّورَةِ الْمُناسِبَةِ

خُبْز

خَوْخ

أَخْضَر

خَضْراوات

3 أَكْتُبُ

خ   خـ

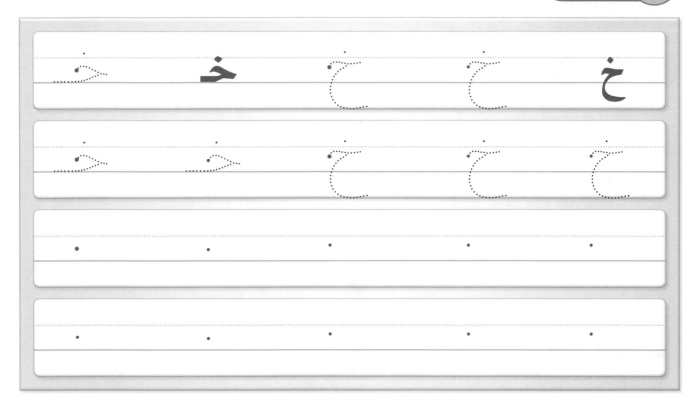

4 أَصِلُ الْحَرْفَ بِالصّورَةِ الَّتي يَبْدَأُ بِهِ اسْمُها

ب

ت

ث

ج

ح

خ

5 أَصِلُ الْحَرْفَ بِالصّورَةِ الَّتي يَنْتَهي بِهِ اسْمُها

ب

ت

ث

ج

ح

خ

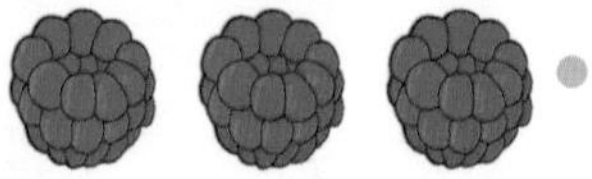

6 أُرَكِّبُ وَأَقْرَأُ

جَ ا	جُ و	جِ ي
جا	**جو**	**جي**
حَ ا	حُ و	حِ ي
حا	**حو**	**حي**
خَ ا	خُ و	خِ ي
خا	**خو**	**خي**

7 أُرَكِّبُ وَأَصِلُ بِالصّورَةِ الْمُناسِبَةِ

ثَوْ ب	خَوْ خ	تا ج	حو ت
ثوب	خوخ	تاج	حوت

8 أَقْرَأُ وَأَصِلُ الْمَقْطَعَ بِالْكَلِمَةِ الَّتي تَحْتَوي عَلَيْه

تاج	تا	واحِد
بَيْتي	تي	حوت
أَثْواب	وا	توت
	تو	
	حو	

9 أَضَعُ ◯ حَوْلَ الْكَلِمَةِ الْمُخْتَلِفَة

غَضِبَ غَضِبَ غَضِبَتْ غَضِبَ

أَفْرَحُ أُزْعِجُ أَفْرَحُ أَفْرَحُ

خَوْخ خَوْخ خَوْخ تُفّاح

واحِدَة واحِد واحِد واحِد

10 أَقْرَأُ وَأَضَعُ ◯ حَوْلَ الْمُخْتَلِفِ وَأَكْتُبُ الْحَرْفَ الْمُشْتَرَك

جَدّي	تاج	جَدّي	جَدّي	…………
مَطْبَخ	خَوْخ	مَطْبَخ	مَطْبَخ	…………
تُفّاح	حَبّة	حَبّة	حَبّة	…………
ثَلاث	ثَوْم	ثَلاث	ثَلاث	…………
حَبّات	حَبّات	توت	حَبّات	…………

11 أَقْرَأُ وَأُلاحِظُ كَمْ جُمْلَةً أُكَوِّنُ مِنَ الْكَلِماتِ التّالِيَة

أُحِبُّ أَبي أَخي أُخْتي بَيْتي

1 أُحِبُّ أَبي.

2 أُحِبُّ أُخْتي.

3 أُحِبُّ أَخي.

4 أُحِبُّ بَيْتي.

أَنا مُهَذّب

أَنا أُحِبُّ بَيْتي   وَفيهِ أَقْضي وَقْتي
بَيْنَ أَبي وَأُمّي   وَجَدَّتي وَأُخْتي
مَدْرَسَتي أُحِبُّها   لِأَنَّها مُرَتَّبَة
وَأَصْدِقائي ها هُنا   وَلُعْبَتي الْمُحَبَّبَة
مَلابِسي نَظيفَةٌ   جَميلَةٌ لَطيفَةْ
أَقارِبي أُحِبُّهُمْ   وَدائِمًا أَزورُهُم
وَعِنْدَما أَراهُمْ   يَحْلو إِلَيَّ قُرْبُهُمْ
أَنا أَنا لا أُزْعِجُ   وَكَمْ أَنا مُهَذَّبُ

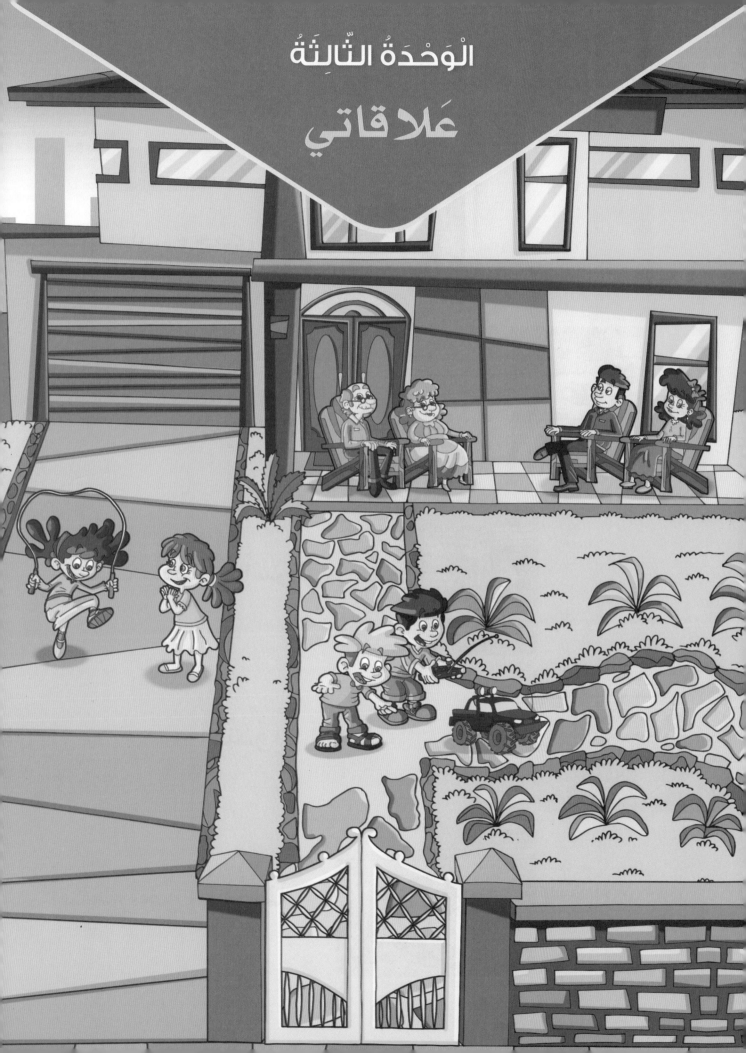

الْوَحْدَةُ الثّالِثَةُ

عَلاقاتي

في بَيْتي

1 أُرَدِّدُ وَأَقْرَأُ

أُساعِدُ أَبي وَجَدّي.

زَرَعَ أَبي بُذورَ ذُرَة.

زَرَعَ جَدّي بُذورَ باذِنْجان.

أَتَحَدَّثُ بِأَدَب مَعَ أُسْرَتي.

أَعْتَذِرُ

أَعْتَذِرُ إِذا أَخْطَأْتُ.

أُسامِحُ أَخي إِذا أَخْطَأَ.

2 أَسْتَمِعُ وَأُرَدِّدُ

أُساعِدُ أُسْرَتي وَأَقارِبي

أَعْتَذِرُ

أَعْتَذِرُ إِذا أَخْطَأْتُ

أُسامِحُ وَأَقْبَلُ الاعْتِذارَ

حَرْفُ الدّال د

1 أَقْرَأُ وَأُلاحِظُ حَرْفَ الدّال

أُساعِدُ أَبي وَجَدّي.

د د

داني وَلَد.

بُدور بِنْت.

دَرّاجَةُ داني.

أَتَحَدَّثُ بِأَدَب.

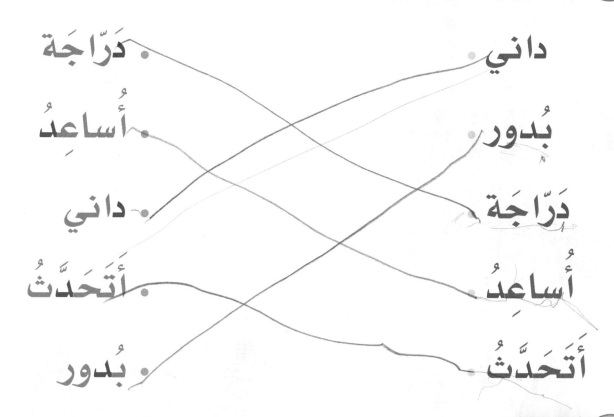

داني •
بُدور •
دَرّاجَة •
أُساعِدُ •
أَتَحَدَّثُ •

• دَرّاجَة
• أُساعِدُ
• داني
• أَتَحَدَّث
• بُدور

3 أَكْتُبُ

					د
د	د	د	د	د	د
ذ	ذ	ذ	ذ	ذ	ذ
ذ	ذ	ذ	ذ	د	د

حَرْفُ الذَّال ذ

1 أَقْرَأُ وَأُلاحِظُ حَرْفَ الذّالِ

زَرَعَ أَبي بُذورَ ذُرَة.

ذ ذ

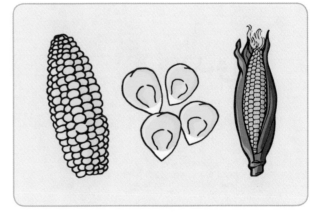

بُذورُ ذُرَة

باذِنْجان

أَعْتَذِرُ

أَسْتَأْذِنُ

بُذُور	بَذْرَة	بُذُور	بُذُور

أُذُرَة	ذُرَة	ذُرَة	بَاذِنْجان

أَسْتَأْذِنُ	أَعْتَذِرُ	أَعْتَذِرُ	أَعْتَذِرُ

بَذْرَة	ذُرَة	بَذْرَة	بَذْرَة

3 | أَكْتُبُ

ذ	ذ	ذ	ذ	ذ

ذ	ذ	ذ	ذ	ذ

ذ	ذ	ذ	ذ

ذ	ذ	ذ	ذ

حَرْفُ الرَّاء ر

1 أَقْرَأُ وَأُلاحِظُ حَرْفَ الرَّاء

زَرَعَ جَدّي بُذورَ باذِنْجان.

ر ر

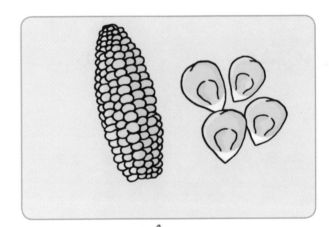

بُذورُ ذُرَة

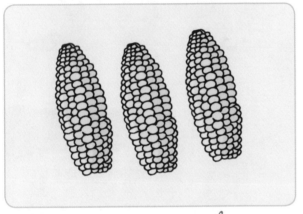

ذُرَة صَفْراء

زَرَعَ

أَعْتَذِرُ

2 أَضَعُ ◯ حَوْلَ الْكَلِمَةِ الْمُخْتَلِفَةِ

بُذور	بُدور	بُذور	بُذور
أَصْفَر	أَصْفَر	أَصْفَر	صَفْراء
زَرَعَ	زَرَعَ	ذُرَة	زَرَعَ
يَرْسُمُ	يَرْسُمُ	يَرْسُمُ	أَرْسُمُ

3 أَكْتُبُ

ر ر ر ر ر

ز ز ز ز ز

4 أَقْرَأُ

دَ	دا
دُ	دو
دِ	دي

ذَ	ذا
ذُ	ذو
ذِ	ذي

رَ	را
رُ	رو
رِ	ري

5 أَصِلُ بَيْنَ الْكَلِماتِ الْمُتَماثِلَةِ كَما في الْمِثالِ

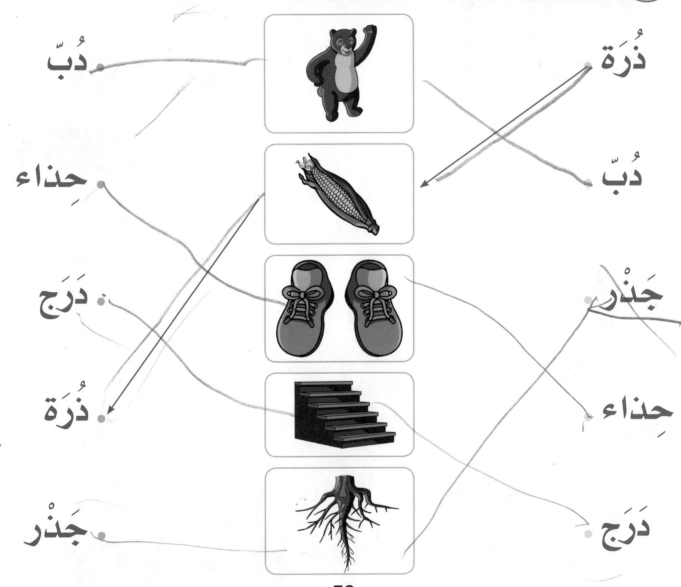

ذُرَة

دُبّ

دُبّ

حِذاء

جَذْر

دَرَج

حِذاء

ذُرَة

دَرَج

جَذْر

6 أُرَكِّبُ وَأَصِلُ الْكَلِمَةَ بِما يُناسِبُها

د ا ر

دار

بِ ذْ رَ ة

بِذْرَة

جَ ذ ر

جذر

جُ ذ و ر

جُذور

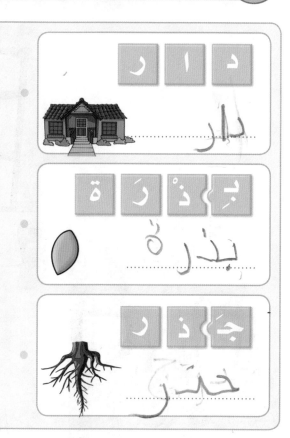

د و ر

دور

بُ ذ و ر

بُذور

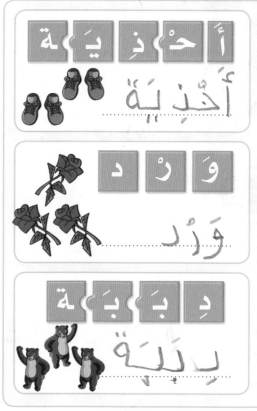

دُ بّ

دُب

وَ رْ دَ ة

وردة

حِ ذ ا ء

حِذاء

أَ حْ ذِ يَ ة

أَحْذِيَة

وَ رْ د

وَرْد

دِ بَ بَ ة

دِبَبَة

داني وَزاهي

1 أُرَدِّدُ وَأَقْرَأُ

داني يَزورُ زاهي.

جَلَسَ زاهي في غُرْفَةِ الْجُلوس.

لَعِبَ داني وزاهي.

شَكَرَ داني زاهي، وَعادَ إِلى الْبَيْت.

2 أَسْتَمِعُ وَأُرَدِّدُ

شاشَةُ التِّلْفاز

غَزال وَزَرافَة

سَيّارَة سَوْداء

غُرْفَةُ الْجُلوس

حَرْفُ الزَّاي   ز

1 أَقْرَأُ وَأُلاحِظُ حَرْفَ الزَّاي

داني يَزورُ زاهي.

ز   ز

زاهي

بَيْتُ زاهي

تِلْفاز

أَزْرَق

60

2 أَضَعُ ◯ حَوْلَ الْكَلِمَةِ الْمُخْتَلِفَةِ

أَزْرَق	زَرْقاء	أَزْرَق	أَزْرَق
زاهي	زاهي	يَزورُ	زاهي
غَزال	غَزال	غَزال	زَرافَة
تِلْفاز	زَرَعَ	تِلْفاز	تِلْفاز

3 أَكْتُبُ

ز

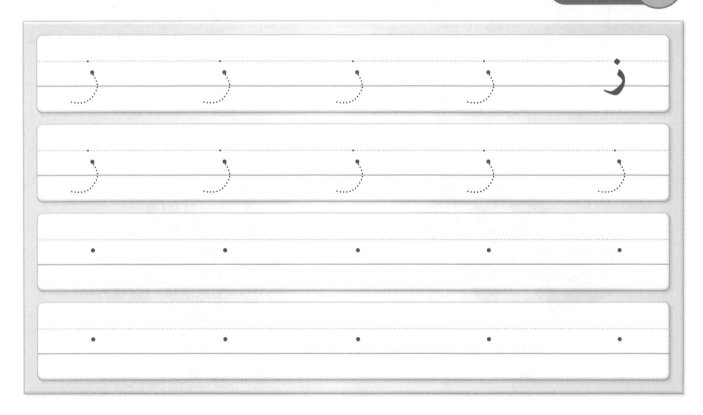

حَرْفُ السِّين

س سـ

1 أَقْرَأُ وَأُلاحِظُ حَرْفَ السِّين

جَلَسَ داني في غُرْفَةِ الْجُلوس.

س س

أُساعِدُ أُمّي.

أُسامِحُ أَخي.

سَيّارَةٌ سَوْداء

أَسْوَد

2 أَقْرَأُ وَأَصِلُ الْجُمْلَةَ بِالصّورَةِ الْمُناسِبَةِ

أَنا أَجْلِسُ.

بُدور تَجْلِسُ.

داني يَجْلِسُ.

سَيّارَة سَوْداء.

3 أَكْتُبُ

س ســ

الشَّدَّة

ّـِ

1 أَقْرَأُ وَأُلاحِظُ الشَّدَّةَ

سَيَّارَة سَوْداء.

يّ

سَلَّة تُفَّاح.

حَبَّة تُفَّاح.

جَدِّي وَجَدَّتي.

حَمَّام

2 أَصِلُ بِالْمَقْطَعِ الْمُناسِبِ وَأَقْرَأُ

زَ	زو
زُ	زي
زِ	زا

سَ	سي
سُ	سا
سِ	سو

3 أَصِلُ الْمَقْطَعَ بِالْكَلِمَةِ الَّتي تَحْتَوي عَلَيْهِ

يَزورُ

غَزال

زاهي

زا

را

زو

ري

دو

بُدور

زَرافَة

سَرير

66

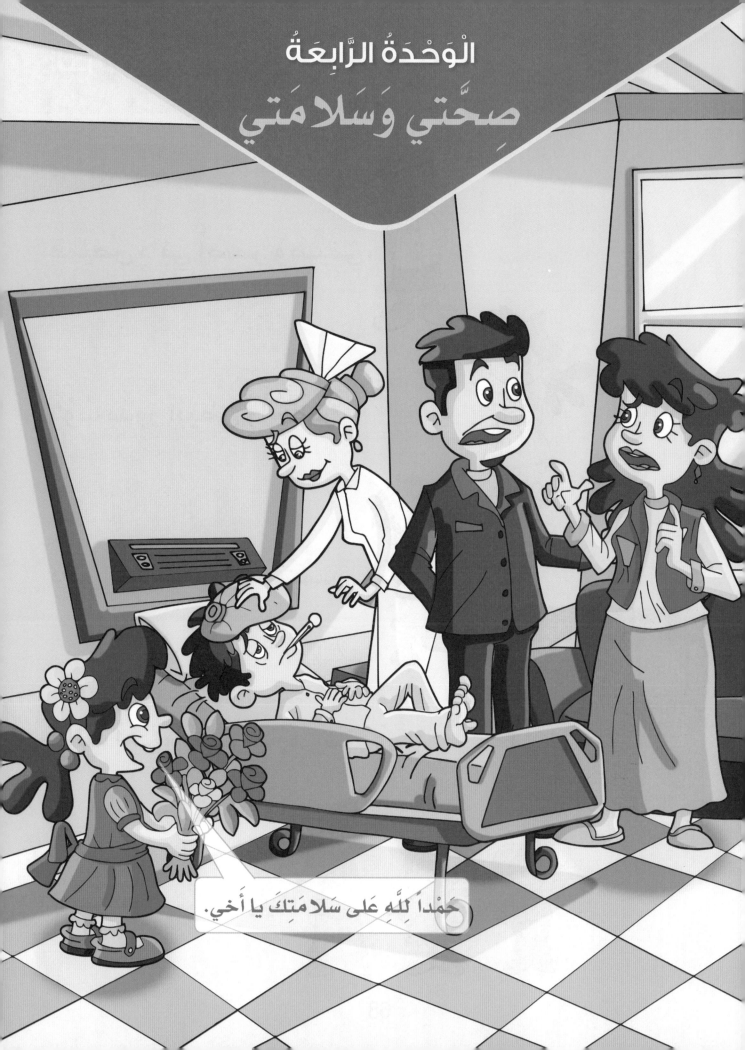

الْوَحْدَةُ الرَّابِعَةُ

صِحَّتي وَسَلامَتي

حَمْداً لِلَّهِ عَلى سَلامَتِكَ يا أَخي.

طَقْسٌ بارِدٌ

قَميصُ داني أَصْفَر وَصَيْفِيّ.

ثَوْبُ بُدور أَبْيَض وَأَخْضَر.

داني يَشْرَبُ شَرابَ مُشْمُش.

قالَتْ أُمّي: طَقْسٌ بارِدٌ وَشَتْوِيّ.

نَلْبَسُ مَلابِسَ شَتْوِيَّةً.

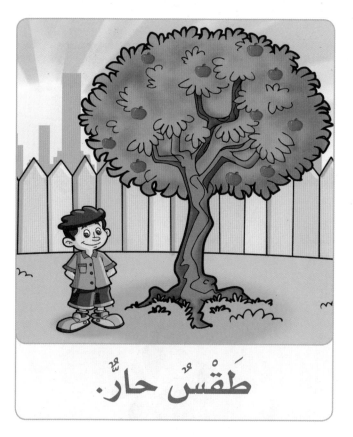

2 أَسْتَمِعُ وَأُرَدِّدُ

طَقْسٌ بارِدٌ.

طَقْسٌ حارٌّ.

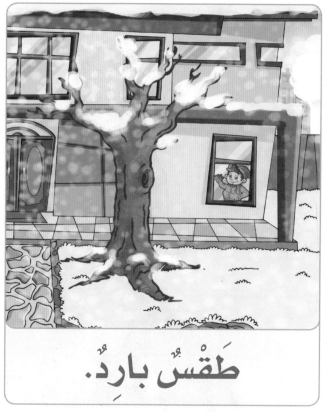

مَلابِسُ صَيْفِيَّة.

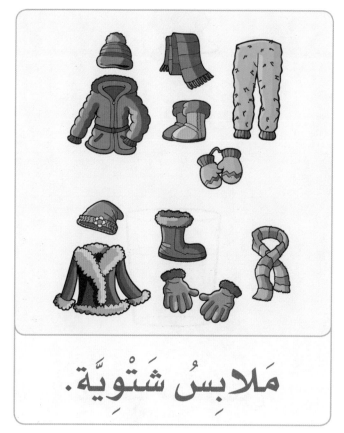

مَلابِسُ شَتْوِيَّة.

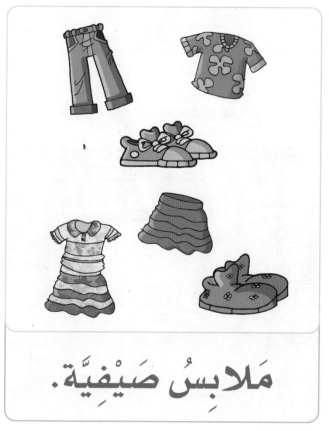

حَرْفُ الشِّينِ ش شـ

1 أَقْرَأُ وَأُلاحِظُ حَرْفَ الشِّينِ

دانِي يَشْرَبُ شَرابَ مُشْمُش.

شـ شـ شـ ش

بُدورُ تَشْرَبُ.

شَجَرَةُ مُشْمُش.

شَرابُ مُشْمُش.

فَصْلُ الشِّتاءِ.

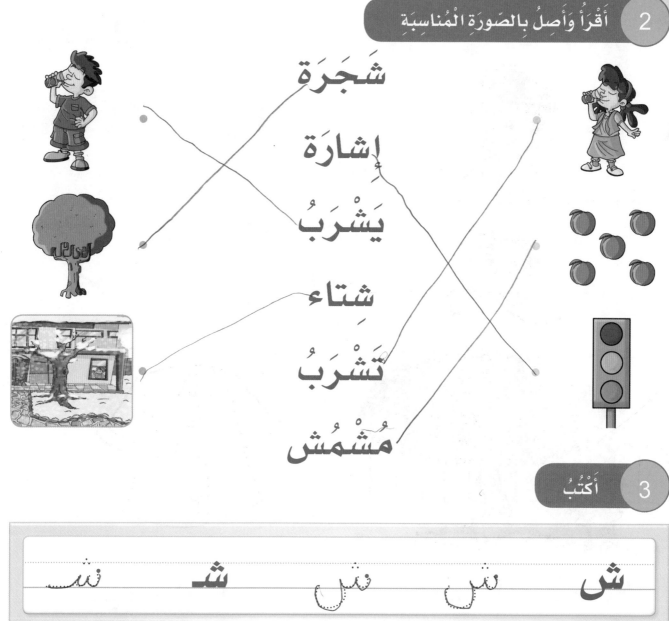

2 أَقْرَأُ وَأَصِلُ بِالصّورَةِ الْمُناسِبَةِ

شَجَرَة

إِشارَة

يَشْرَبُ

شِتاء

تَشْرَبُ

مُشْمُش

3 أَكْتُبُ

ش شـ

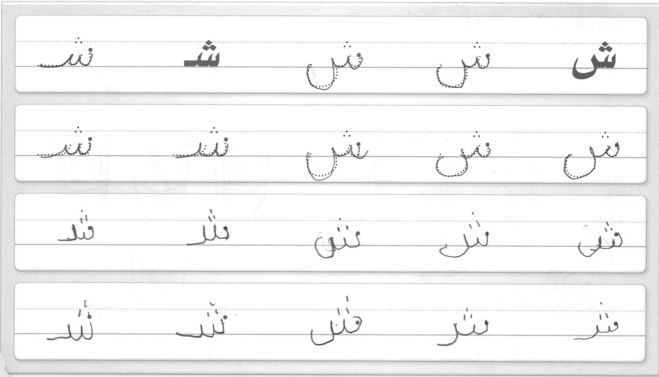

حَرْفُ الصّاد ص صـ

1 أَقْرَأُ وَأُلاحِظُ حَرْفَ الصّاد

قَميصُ داني أَصْفَرُ وَصَيْفِيّ.

ص صـ صـ

قَميصٌ أَصْفَرُ.

فَصْلُ الصَّيْفِ.

شَرابٌ صِحِّيٌّ.

مَلابِسُ صَيْفِيَّةٌ.

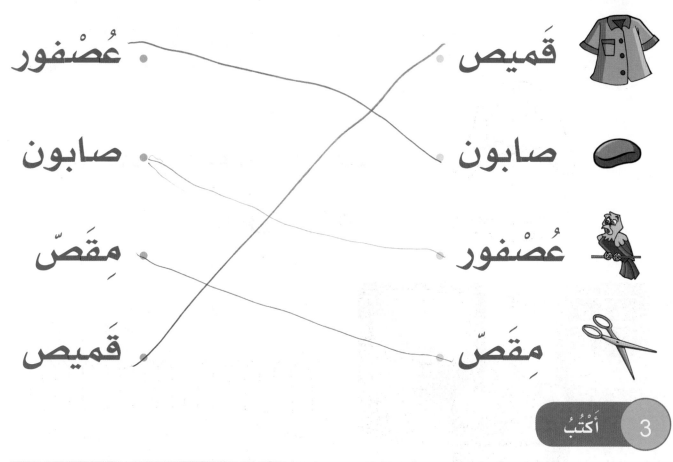

2 أَصِلُ بَيْنَ الْكَلِماتِ الْمُتَماثِلَةِ

	قَميص	عُصْفور
	صابون	صابون
	عُصْفور	مِقَصّ
	مِقَصّ	قَميص

3 أَكْتُبُ

ص ص ص صـ صـ

ص ص ص صـ صـ

حَرْفُ الضّادِ ض ضـ

1 أَقْرَأُ وَأُلاحِظُ حَرْفَ الضّادِ

ثَوْبُ بُدورٍ أَبْيَضُ وَأَخْضَرُ.

ض ضـ

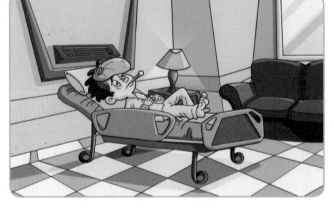

أَرْضُ خَضْراءُ.

غُرْفَةُ ضُيوف.

بَيْضُ دَجاج.

داني مَريض.

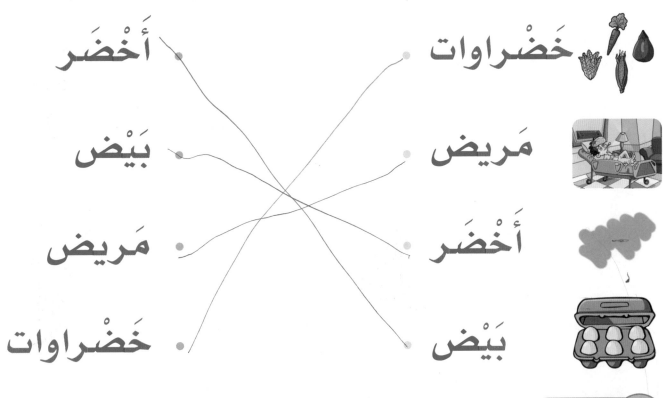

2 أَقْرَأُ وَأَصِلُ بَيْنَ الْكَلِماتِ الْمُتَماثِلَةِ

	خَضْراوات	أَخْضَر
	مَريض	بَيْض
	أَخْضَر	مَريض
	بَيْض	خَضْراوات

3 أَكْتُبُ

ض ضـ

4 أَصِلُ الصّورَةَ بِالْكَلِمَةِ الْمُناسِبَةِ

شَجَرَة

صَخْرَة

بَيْض

مَريض

قَميص

صَيّاد

ريش

جَرَس

5 أَكْتُبُ الْحَرْفَ الْمُشْتَرَكَ في كُلِّ مَجْموعَةٍ

سَيّارَة	سور	رَأْس	أَسْوَد	....
شَراب	فَراش	ريش	شِتاء	....
صورَة	قَميص	صَيْف	أَصْفَر	....
بَيْض	مَريض	أَرْض	أَبْيَض	....

6 أُرَكِّبُ وَأَكْتُبُ

ر أ س
ب ي ض
ص
ش ت ا ء
ر
ج
ز
أ س و د
أ خ ض ر

راس ....

ريش ....

بيض ....

شتاء ....

....

....

....

جزر ....

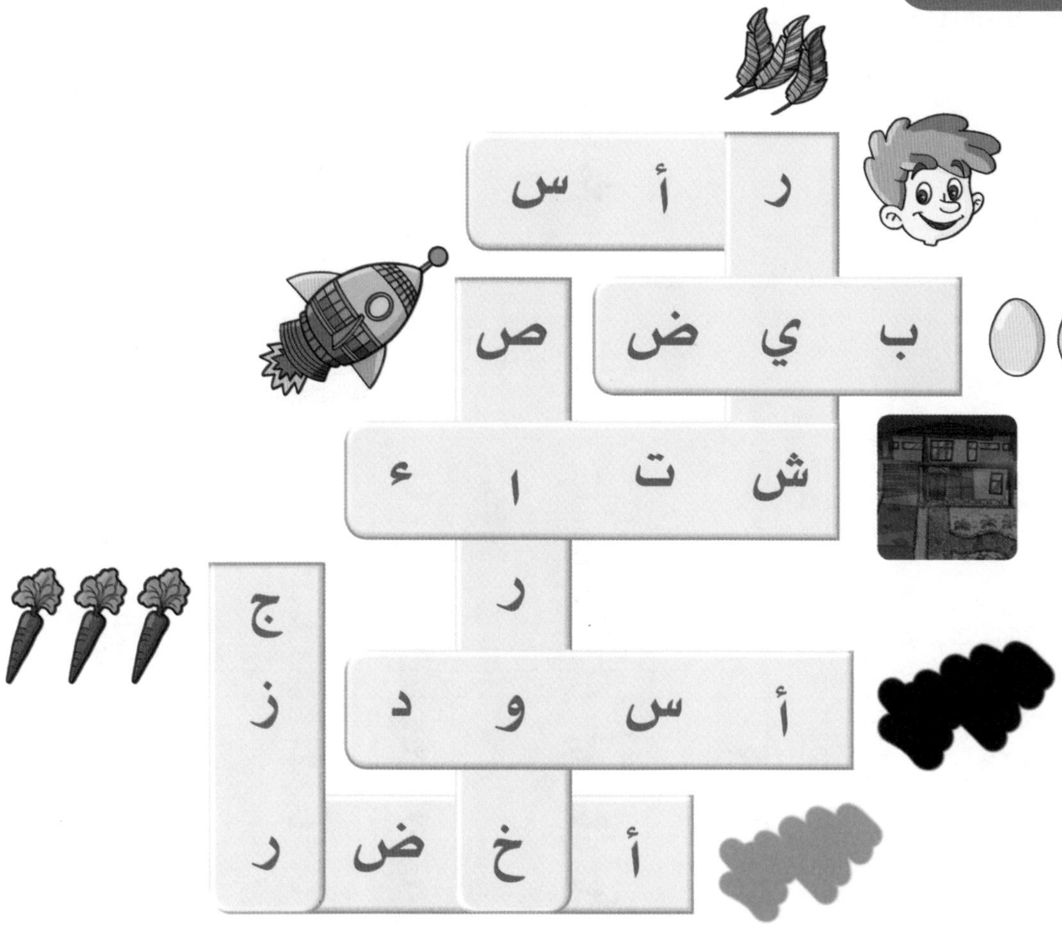

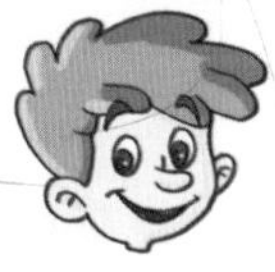

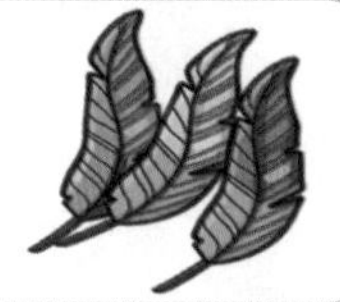

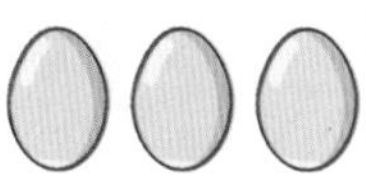

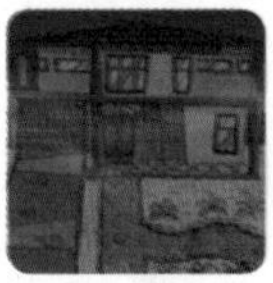

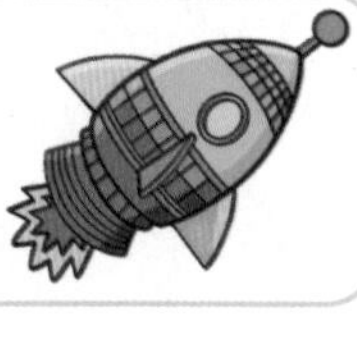

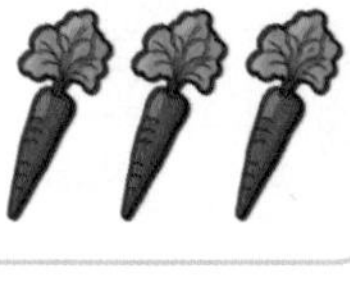

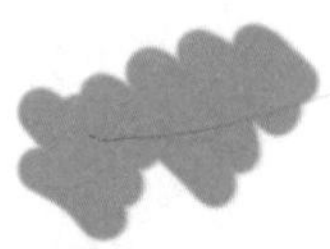

التَّنْوينُ

تَنْوينُ الْفَتْحِ	تَنْوينُ الضَّمِّ	تَنْوينُ الْكَسْرِ
ً	ٌ	....
....	....	ٍ

1 أَقْرَأُ وَأُمَيِّزُ التَّنْوينَ

بَ با باً
بُ بو بٌ
بِ بي بٍ

تَ تا تاً
تُ تو تٌ
تِ تي تٍ

ةَ ـةَ ـةً
ةُ ـةُ ـةٌ
ةِ ـةِ ـةٍ

ثَ ثا ثاً
ثُ ثو ثٌ
ثِ ثي ثٍ

جَ جا جاً
جُ جو جٌ
جِ جي جٍ

حَ حا حاً
حُ حو حٌ
حِ حي حٍ

خَ خا خاً
خُ خو خٌ
خِ خي خٍ

دَ دا داً
دُ دو دٌ
دِ دي دٍ

ذَ ذا ذاً
ذُ ذو ذٌ
ذِ ذي ذٍ

رَ را راً
رُ رو رٌ
رِ ري رٍ

زَ زا زاً
زُ زو زٌ
زِ زي زٍ

سَ سا ساً
سُ سو سٌ
سِ سي سٍ

شَ شا شاً
شُ شو شٌ
شِ شي شٍ

صَ صا صاً
صُ صو صٌ
صِ صي صٍ

ضَ ضا ضاً
ضُ ضو ضٌ
ضِ ضي ضٍ

2 أَقْرَأُ وَأَكْتُبُ

أَرْضٌ أَرْضٍ أَرْضًا

ارض ارض ارضا

بَيْضٌ بَيْضٍ بَيْضًا

بيض بيض بيضا

جَرَسٌ جَرَسٍ جَرَسًا

جرس جرس جرسا

بارِدٌ بارِدٍ بارِدًا

بارد بارد باردا

صورَةٌ صورَةٍ صورَةً

صورة صورة صورة

شتاءٌ شتاءٍ شتاءً

شتاء شتاء شتاء

3 أُرَكِّبُ جُمَلًا مِنَ الْكَلِماتِ التّالِيَةِ

أَرْضٌ خَضْراءُ وَرْدَةٌ حَمْراءُ بَيْضَةٌ بَيْضاءُ

1 .... 2 ....

3 .... 4 ....

الدَّرْسُ الثّاني طَعامُ صِحِّيٌّ

1 أُرَدِّدُ وَأَقْرأُ

في مَدينَتي مَطْعَمٌ كَبيرٌ.

جَلَسَتْ أُسْرَتي تَحْتَ الْمِظَلَّةِ.

طَلَبَ أَبي طَبَقَ خَضْراواتٍ.

طَلَبَتْ أُمِّي عَصيرًا طازَجاً.

قالَ داني: طَعامُ صِحِّيٌّ.

مِظَلَّةٌ كَبيرَةٌ.

عَصيرُ بُرْتُقالٍ.

مَطْعَمٌ كَبيرٌ.

طَبَقُ خَضْراواتٍ.

سَلَطَةُ خَضْراواتٍ.

سَلَطَةُ فَواكِهِ.

حَرْفُ الطَّاءِ ط

1 أَقْرَأُ وَأُلاحِظُ حَرْفَ الطَّاءِ

طَلَبَ أَبي طَبَقَ خَضْراواتٍ.

ط ط

طَبَقُ خَضْراواتٍ.

طَعامٌ صِحِّيٌّ.

مَطْعَمٌ

عَصيرٌ طازَجٌ.

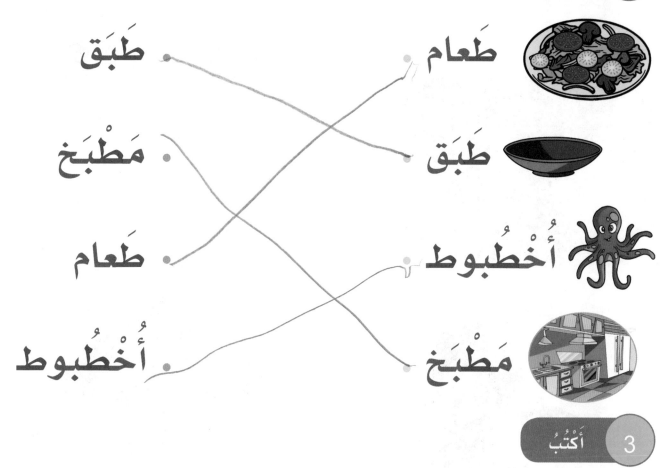

2 أَصِلُ بَيْنَ الْكَلِماتِ الْمُتَماثِلَةِ

طَعام — طَبَق

طَبَق — مَطْبَخ

أُخْطُبوط — طَعام

مَطْبَخ — أُخْطُبوط

3 أَكْتُبُ

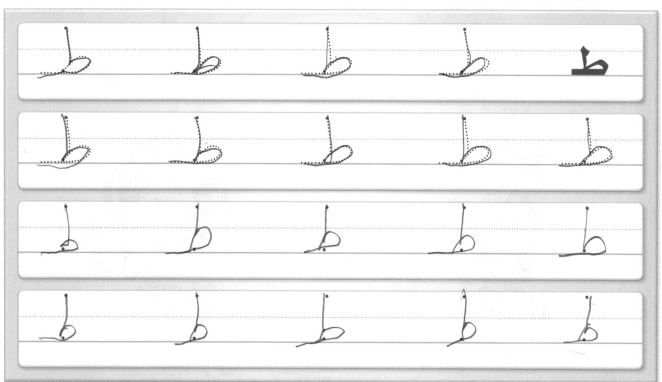

ط

حَرْفُ الظَّاءِ ظـ

1 أَقْرَأُ وَأُلاحِظُ حَرْفَ الظّاءِ

جَلَسَتْ أُسْرَتي تَحْتَ الْمِظَلَّةِ.

ظـ

مِظَلَّةٌ كَبيرَةٌ.

مِنْظارُ داني.

نَظّارَةُ بُدور.

داني نَظيف.

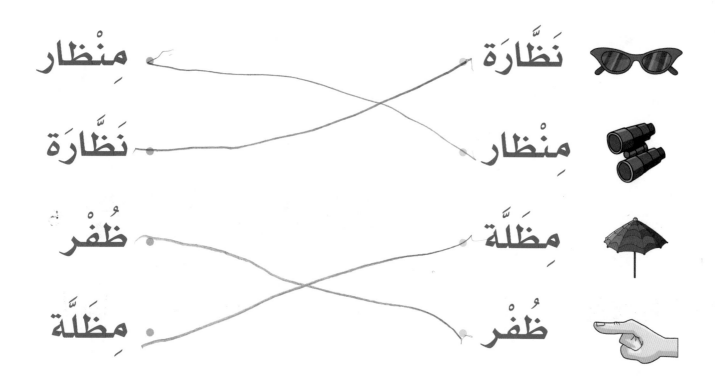

2 أَصِلُ بَيْنَ الْكَلِماتِ الْمُتَماثِلَةِ

	نَظَّارَة	مِنْظار
	مِنْظار	نَظَّارَة
	مِظَلَّة	ظُفْر
	ظُفْر	مِظَلَّة

3 أَكْتُبُ

ظـ

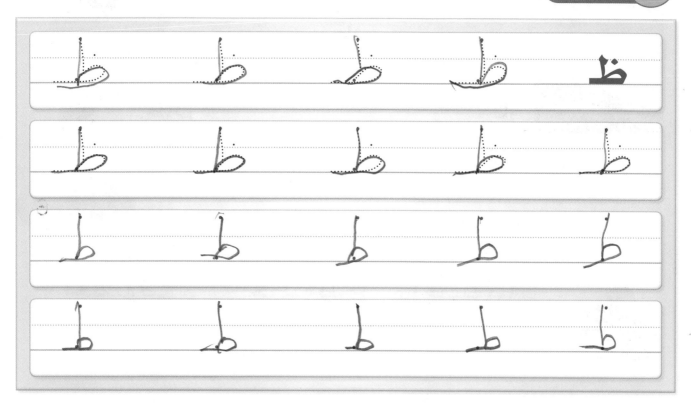

4 أَقْرَأُ وَأُمَيِّزُ التَّنْوينَ

طَ	طُ	طِ
طا	طو	طي
طاً	طٌ	طٍ

ظَ	ظُ	ظِ
ظا	ظو	ظي
ظاً	ظٌ	ظٍ

5 أَصِلُ الْمَقْطَعَ بِالْكَلِمَةِ الَّتي تَحْتَوي عَلَيْهِ

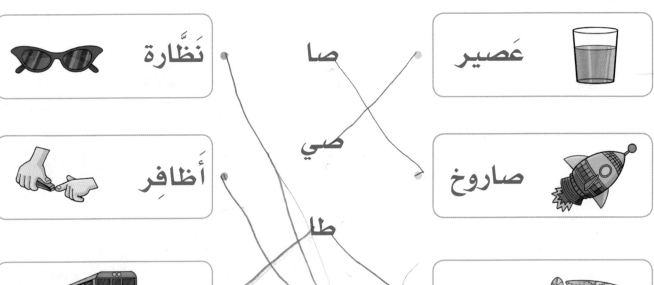

عَصير

صاروخ

طائِرَة

صا

صي

طا

ظا

نَظّارة
أَظافِر
قِطار
6 أَكْتُبُ

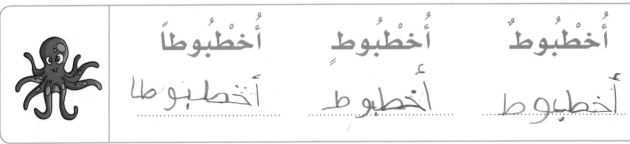

أُخْطُبوطٌ	أُخْطُبوطٍ	أُخْطُبوطاً	
أخطبوط	أخطبوط	أخطبوطا	

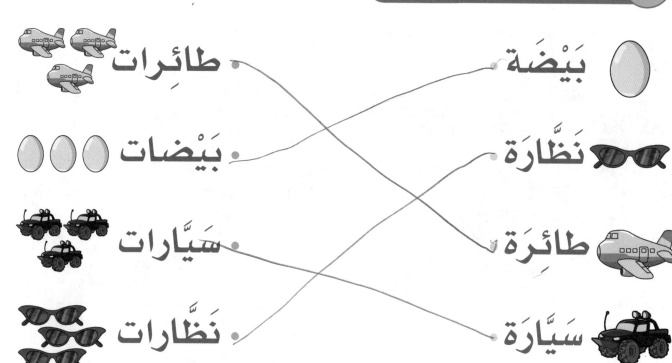

7 أَقْرَأُ وَأَصِلُ الْكَلِمَةَ بِما يُناسِبُها

بَيْضَة — طائِرات

نَظّارَة — بَيْضات

طائِرَة — سَيّارات

سَيّارَة — نَظّارات

8 أُرَكِّبُ وَأَكْتُبُ

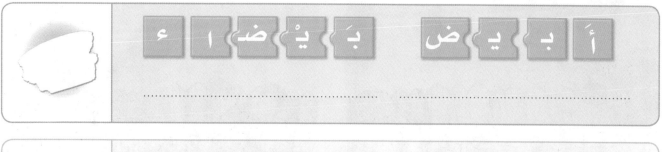

أَ بـ يـ ض — بَـ يْـ ضـ ا ء

....

أَ سْـ وَ د — سَـ وْ د ا ء

....

أَ خْـ ضـ ر — خَـ ضْـ ر ا ء

....

9 أَتَحَدَّثُ وَأُقارِنُ

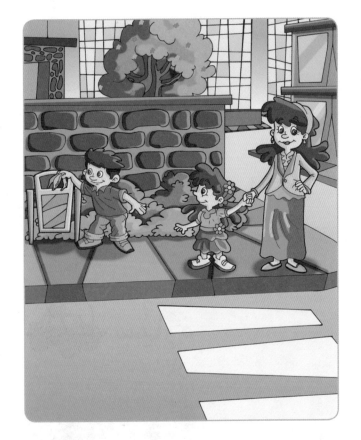

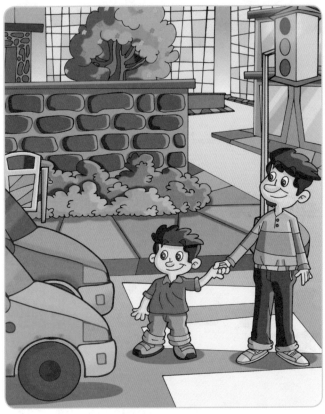

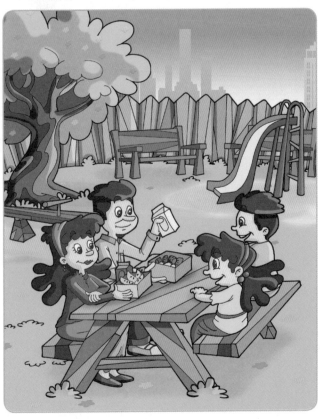

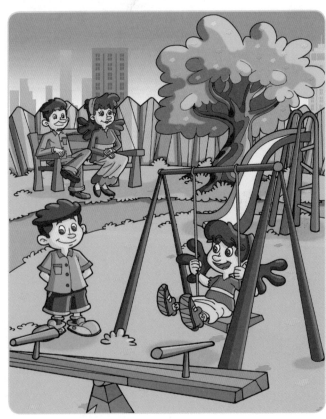

10 أُلاحِظُ وَأُعَبِّرُ عَنْ كُلِّ صورَةٍ

نَظّارَةٌ شَمْسِيَّةٌ.

نَظّارَةٌ طِبِّيَّةٌ.

شَمْسٌ

مِظَلَّةٌ

فَرِحَتْ

غَضِبَتْ

ما أَسْعَدَني!

لي أَصْحابٌ لي أَصْحابْ   هُمْ عِنْدي أَغْلى الأَحْبابْ

أَحْكي مَعَهُمْ وَأُغَنّي   لا أَقْتَرِبُ مِنَ الأَغْرابْ

وَأَنا لا أَكْرَهُ أَحَدًا   مُبْتَسِمٌ أَبَدًا أَبَدًا

أَجْلِسُ مَعَ جاري الْمُحْتاجْ   أُعْطيهِ حُبًّا وَيَدًا

لَمّا أَبْدَأُ بِسَلامي   أَنْظُرُ وَالنّورُ أَمامي

وَأُحِبُّ النّاسَ جَميعًا   وَأَنا أَرْسُمُ أَحْلامي

أَحْكي مَعَهُمْ في لُطْفٍ   وَأُحَدِّثُهُمْ وَأُصافِحْ

وَإِذا وَقَعوا في أَخْطاءْ   أَعْفو عَنْهُمْ وَأُسامِحْ

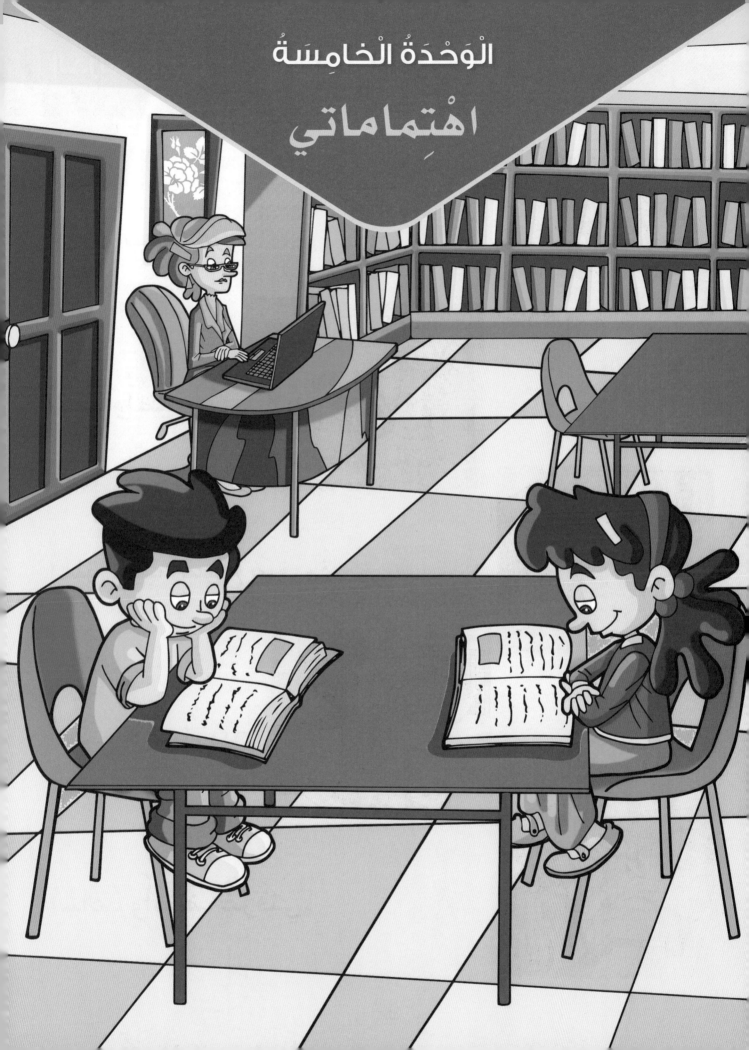

الْوَحْدَةُ الْخامِسَةُ

اهْتِماماتي

أَنا أُساعِدُ

1 أُرَدِّدُ وَأَقْرَأُ

أَزْرَعُ وَأُساعِدُ أَبي.

أَلْعَبُ وَأُطيعُ أُمِّي.

أُغْلِقُ عُلَبَ أَصْباغٍ صَغيرَةً.

أَصْبُغُ وَأَغْسِلُ يَدَيَّ.

أُساعِدُ وَأُنَظِّفُ غُرْفَتي.

أَزْرَعُ مَعَ جَدِّي.

أَزْرَعُ مَعَ أَبِي.

مِغْسَلَة

عُلَبُ أَصْباغٍ.

عُلْبَةٌ مُغْلَقَةٌ.

عُلْبَةٌ مَفْتُوحَةٌ.

93

1　أَقْرَأُ وَأُلاحِظُ حَرْفَ الْعَيْنِ

أَزْرَعُ وَأُساعِدُ أَبي.
عـ　ع
أَلْعَبُ وَأُطيعُ أُمّي.
ـعـ　عـ

عيدٌ سَعيدٌ.

سَبْعُ شَمْعاتٍ.

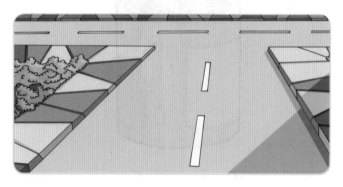

شارِعٌ واسِعٌ.

أُطيعُ أَبي.

94

عَيْن • • شَعْر

تِسْعَة • • عَيْن

شَعْر • • تِسْعَة

مُزارِع • • شَمْع

شَمْع • • مُزارِع

3 أَكْتُبُ

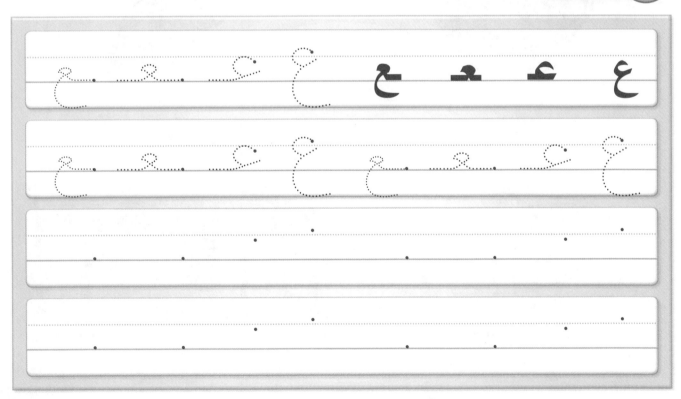

ع ـع عـ ـعـ ح

حَرْفُ الْغَيْنِ غ ـغـ ـغ غـ

1 أَقْرَأُ وَأُلاحِظُ حَرْفَ الْغَيْنِ

أُغْلِقُ عُلَبَ أَصْباغٍ صَغيرَةً.

غـ غٍ ـغـ

أَصْبُغُ وَأَغْسِلُ يَدَيَّ.

ـغُ غـ

بَبَّغاءٌ صَغيرٌ.

طَبَقٌ فارِغٌ.

غَسيلٌ

مِغْسَلَةٌ

2 أَقْرَأُ وَأَصِلُ بَيْنَ الْكَلِماتِ الْمُتَماثِلَةِ

	غَزال	غُراب
	غُراب	غَزال
	فارِغ	كَنْغَر
	غَضِبَ	فارِغ
	كَنْغَر	غَضِبَ

3 أَكْتُبُ

غ غـ ـغـ ـغ

4 أَقْرَأُ الْمَقاطِعَ في كُلِّ سَطْرٍ ثُمَّ أَعُدُّ وَأُلَوِّنُ كَما في الْمِثالِ

عا غا عا غا عا غا

عا عا غا عا عا غا

غي غي غي عا غي غي

عي عي غي غي عي عي

غو عو عو غو عو عو

عو	4
عي	
عا	
غا	
غو	
غي	

غي

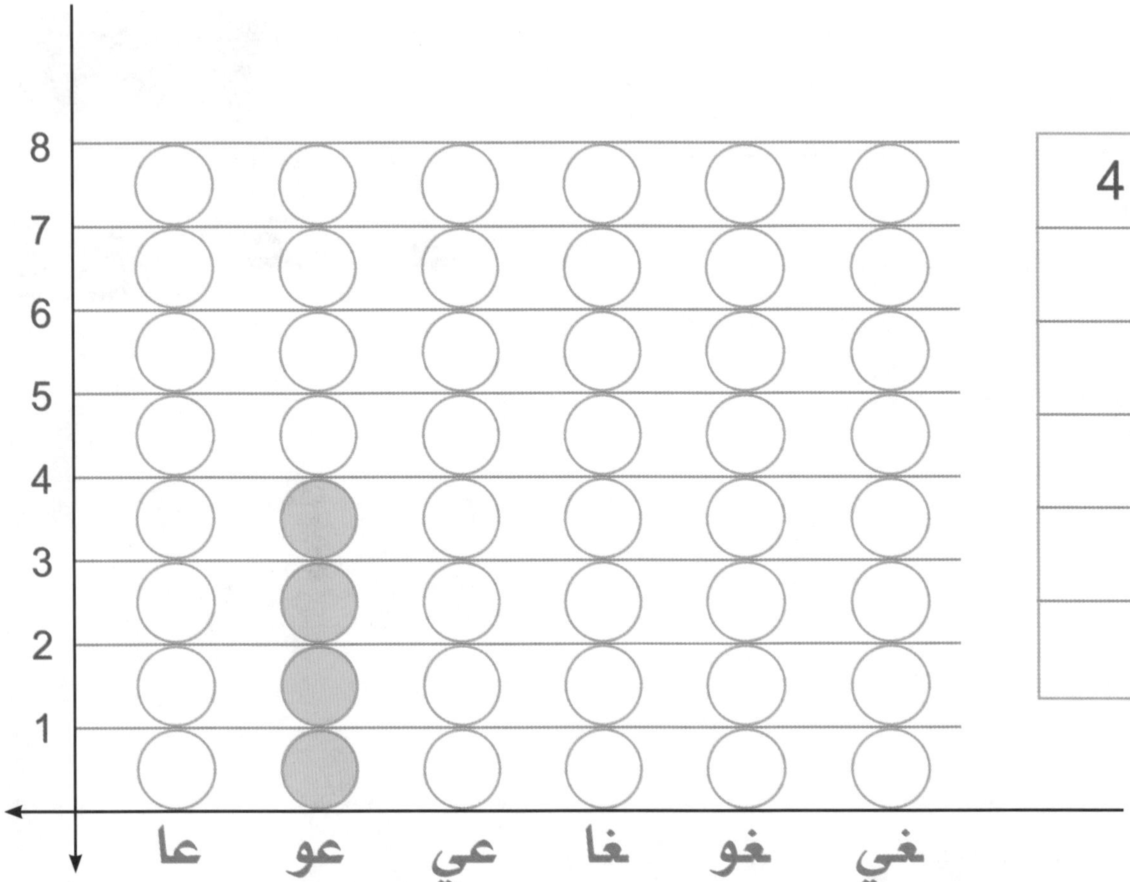

5 أَقْرَأُ وَأَضَعُ ◯ حَوْلَ الْكَلِمَةِ الْمُخْتَلِفَةِ وَأَذْكُرُ السَّبَبَ

شارِعٌ	شارِعٌ	شارِعًا	شارِعٌ
غُرابٍ	غُرابًا	غُرابٍ	غُرابٍ
عيدًا	عيدًا	عيدًا	عيدٌ
واسِعٌ	واسِعًا	واسِعٌ	واسِعٌ
صَغيرَةً	صَغيرَةً	صَغيرَةً	صَغيرَةٍ

6 أُرَكِّبُ جُمَلًا كَما في الْمِثالِ وَأَقْرَأُ

أُساعِدُ أُطيعُ أَبي أُمّي جَدّي جَدَّتي

1 أُساعِدُ أَبي ....
2 ....
3 ....
4 ....
5 ....
6 ....
7 ....
8 ....

حَرْفُ الْفاءِ ف ـف

1 أَقْرَأُ وَأُلاحِظُ حَرْفَ الْفَاء

أُساعِدُ وَأُنَظِّفُ غُرْفَتي.

ف ف

داني نَظيفٌ.

بُدورُ نَظيفَةٌ.

صوفُ خَروفٍ.

فَرْوُ ثَعْلَبٍ.

2 أَصِلُ الْكَلِمَةَ بِالْعِبارَةِ الْمُناسِبَةِ وَأَقْرَأُ

فَراش • • فَرَسٌ يَعْدو

خَروف • • فَراشٌ يَطيرُ

فَرَس • • خَروفٌ يَمْشي

سُلَحْفاة • • فُقْمَةٌ تَسْبَحُ

فُقْمَة • • سُلَحْفاةٌ تَزْحَفُ

3 أَكْتُبُ

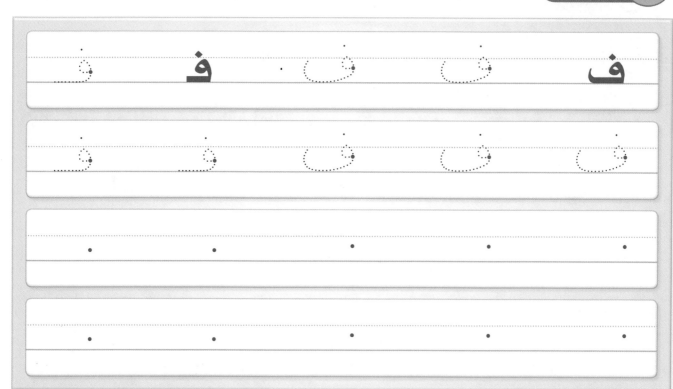

ف ف

4 أَقْرَأُ وَأَصِلُ الْكَلِمَةَ بِالْمَقْطَعِ الَّذي تَحْتَوي عَلَيْهِ

ضَعيف	صو	صَغير
	عيـ	
صوف	فو	بَعيد
	غيـ	
عُصْفور	صيـ	خَفيف
عَصير	فيـ	رَصيف

5 أُصَنِّفُ الْكَلِماتِ التَّالِيَةَ وَفْقَ الْمُدودِ ا و ي

عيد	شارِع	حُروف	رَبيع
فارِغ	ضُيوف	سَعيد	أَصْباغ
بُذور	تُفَّاح	بُدور	أُطيعُ

ا	و	ي
....	....	....
....	....	....
....	....	....
....	....	....

6 أُرَكِّبُ مِنَ الْمَقاطِعِ كَلِماتٍ وَأَقْرَأُ

شا رِ عٌ	شا رِ عًا ....
حُ رو فٌ	حُ رو فًا ....
عُصْ فو رٌ	عُصْ فو رًا ....
صَ غيـ رَ ةٌ	صَ غيـ رَ ةً ....

7 أَسْتَعينُ بِالْكَلِماتِ التّالِيَةِ لِأُعَبِّرَ عَنْ كُلِّ صورَةٍ

داني بُدور ضِفْدَعُ عُصْفورُ أَصْفَرُ أَخْضَرُ

....

....

....

....

....

....

مَكْتَبَتي وَأَلْعابي

1 أُرَدِّدُ وَأَقْرَأُ

أَقْرَأُ قِصَّةً عَنْ بِطْريقٍ صَغيرٍ.

أَقْفِزُ مِثْلَ كَنْغَرٍ،

وَأَسْبَحُ مِثْلَ سَمَكٍ.

أَقُصُّ وَأُلْصِقُ شَكْلَ فيلٍ.

أَلْعَبُ وَأُشارِكُ أَصْحابي.

2 أَسْتَمِعُ وَأُرَدِّدُ

مَكْتَبَةُ بَيْتي.

مَكْتَبَةُ مَدْرَسَتي.

كَنْغَرٌ يَقْفِزُ.

سَمَكٌ يَسْبَحُ.

بِطْريقٌ كَبيرٌ.

خُرْطومُ فيلٍ.

حَرْفُ الْقافِ ق قـ

1 أَقْرَأُ وَأُلاحِظُ حَرْفَ الْقافِ

أَقْرَأُ قِصَّةً عَنْ بِطْريقٍ صَغيرٍ.

قـ ق ق

داني يَقْرَأُ.

بُدورُ تَقْرَأُ.

قِصَّةُ بِطْريقٍ.

بِطْريقٌ صَغيرٌ.

2 أَقْرَأُ وَأَصِلُ الْكَلِمَةَ بِما يُناسِبُها

	مِقَصُّ •	• طَعامٍ	
	مِقَصُّ •	• بِطْريقٍ	
	مِقَصُّ •	• أَظافِرَ	
	طَبَقُ •	• وَرَقٍ	
	قِصَّةُ •	• قُماشٍ	

3 أَكْتُبُ

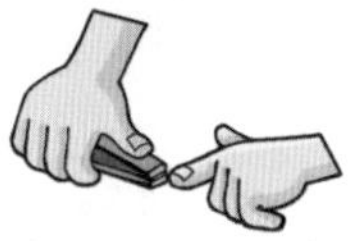

ق ق ق ـقـ ـق

ق ق ق ـق ـق

حَرْفُ الْكافِ ك ک

1 أَقْرَأُ وَأُلاحِظُ حَرْفَ الْكافِ

أَقْفِزُ مِثْلَ كَنْغَرٍ،

ک

وَأَسْبَحُ مِثْلَ سَمَكٍ.

كٍ

سَمَكَةٌ كَبيرَةٌ.

سَمَكٌ صَغيرٌ.

شُبّاكٌ

مَكْتَبٌ

2 أَقْرَأُ وَأَصِلُ بَيْنَ الْكَلِماتِ الْمُتَماثِلَةِ

كُرْسِيّ •   • كِتاب

كِتاب •   • كُرْسِيّ

ديك •   • بِرْكَة

سَمَكَة •   • ديك

بِرْكَة •   • سَمَكَة

3 أَكْتُبُ

ك ك ك كـ كـ

ك ك ك كـ كـ

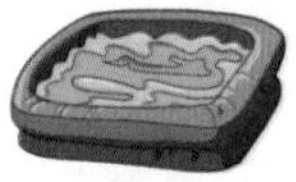

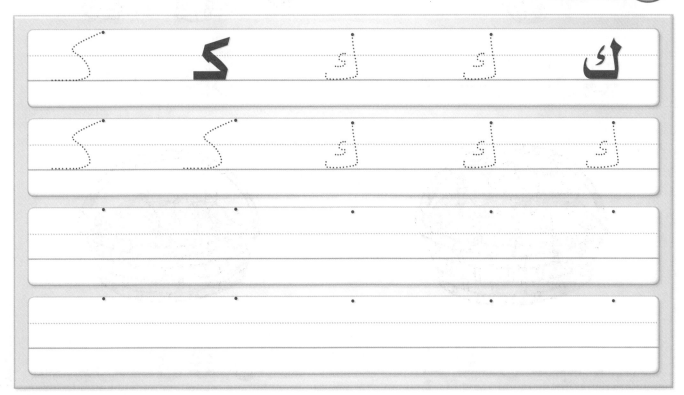

حَرْفُ اللّامِ ل لـ

1 أَقْرَأُ وَأُلاحِظُ حَرْفَ اللّامِ

أَقُصُّ وَأُلْصِقُ شَكْلَ فيلٍ.

لـ ل ل

فيلٌ ثَقيلٌ. خُرْطومٌ طَويلٌ.

بُرْتُقالٌ قَليلٌ. بُرْتُقالٌ كَثيرٌ.

2 أَقْرَأُ وَأَصِلُ بَيْنَ الْكَلِماتِ الْمُتَماثِلَةِ

	بُرْتُقال	فول
	لَيْمون	بُرْتُقال
	فول	لَيْمون
	مَلْفوف	فُلْفُل
	فُلْفُل	مَلْفوف

3 أَكْتُبُ

ل لـ

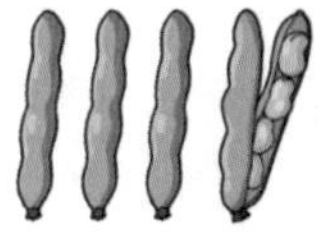

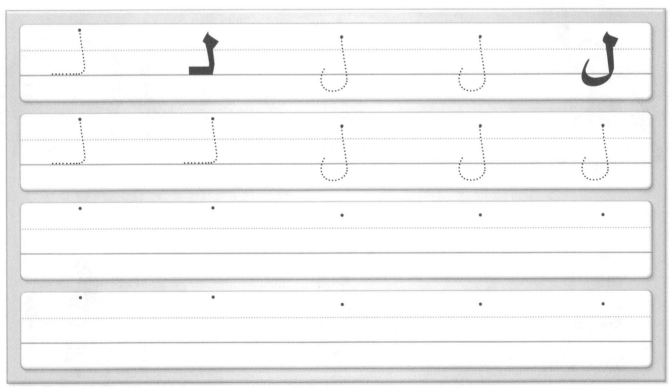

4 أَقْرَأُ الْحُروفَ وَالْمَقاطِعَ

قَ	قُ	قِ
قا	قو	قي
قًا	قٌ	قٍ

كَ	كُ	كِ
كا	كو	كي
كًا	كٌ	كٍ

لَ	لُ	لِ
لا	لو	لي
لاً	لٌ	لٍ

5 أَقْرَأُ وَأَصِلُ الْكَلِمَةَ بِالصّورَةِ الْمُناسِبَةِ

قِرْدٌ

كَلْبٌ

لَقْلَقٌ

ديكٌ

بِطْريقٌ

فيلٌ

6 أَقْرَأُ وَأَضَعُ ◯ حَوْلَ الْكَلِمَةِ الْمُناسِبَةِ

- حَرْفٌ
- ظَرْفٌ

- مِنْظارٌ
- مِنْشارٌ

- ضَريرٌ
- سَريرٌ

- جَرَسٌ
- فَرَسٌ

- زُجاجٌ
- دَجاجٌ

- بُذورٌ
- جُذورٌ

7 أَقْرَأُ وَأَصِلُ كُلَّ كَلِمَةٍ بِضِدِّها

كَبيرٌ	قَصيرٌ
طَويلٌ	ضَعيفٌ
قَوِيٌّ	صَغيرٌ

ثَقيلٌ	تَحْتَ
أَبْيَضُ	خَفيفٌ
فَوْقَ	أَسْوَدُ

8 أُكَوِّنُ جُمَلًا، وَأَكْتُبُ أَرْقامَ الْكَلِماتِ عِنْدَ الصّورَةِ الْمُناسِبَةِ

1 أَقُصُّ　2 أُمَشِّطُ　3 أَغْسِلُ　4 أَقْرَأُ

5 أُساعِدُ　6 قِصَّتي　7 يَدَيَّ　8 أُطيعُ

9 أَظافِري　10 شَعْري　11 أَبي　12 جَدّي

....

....

....

....

....

....

الْوَحْدَةُ السّادِسَةُ

عالَمي الْواسِعُ

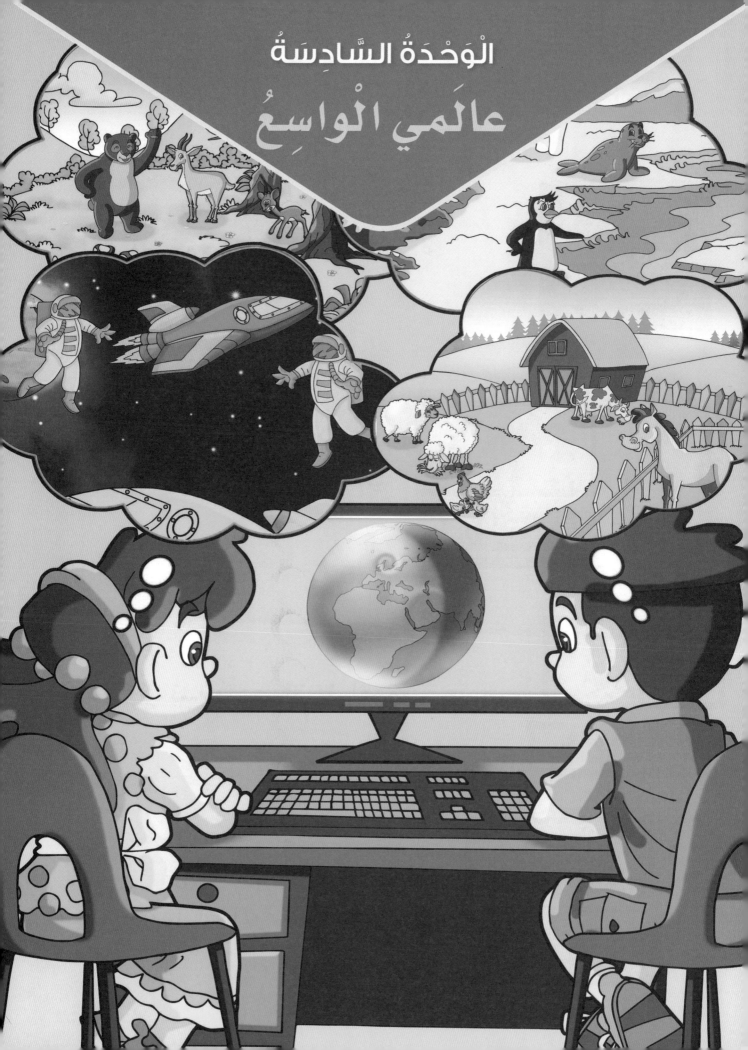

في حاسوبي

1 أُرَدِّدُ وَأَقْرَأُ

أُشاهِدُ النُّجومَ وَالْقَمَرَ في السَّماءِ.

أُشاهِدُ بَلَدي وَبُلْدانَ أَصْحابي.

أُشاهِدُ الْباندا وَأَغْصانَ الْبامبو.

أُشاهِدُ حَيَواناتٍ أَليفَةً وَغَيْرَ أَليفَةٍ.

2 أَسْتَمِعُ وَأُرَدِّدُ

قَمَرٌ وَنُجومٌ.

شَمْسٌ وَغُيومٌ.

كُرَةٌ أَرْضِيَّةٌ.

أَغْصانُ بامْبو.

حَيَواناتٌ أَليفَةٌ.

حَيَواناتٌ غَيْرُ أَليفَةٍ.

حَرْفُ الْميمِ م مـ

1 أَقْرَأُ وَأُلاحِظُ حَرْفَ الْميمِ

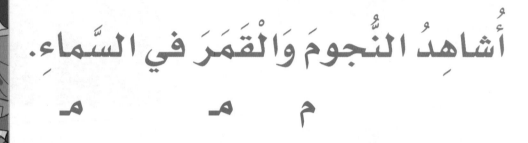

أُشاهِدُ النُّجومَ وَالْقَمَرَ في السَّماءِ.

م مـ مـ

نُجومٌ

قَمَرٌ

غُيومٌ

مَطَرٌ

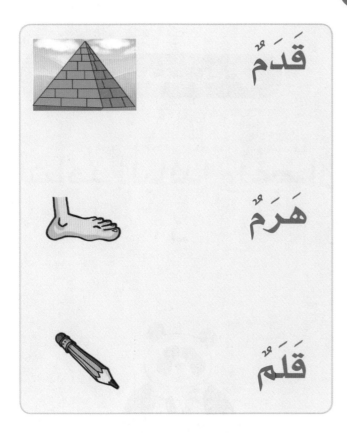

2 أَقْرَأُ وَأَصِلُ الْكَلِمَةَ بِالصّورَةِ الْمُناسِبَةِ

مُثَلَّثٌ

مُسْتَطيلٌ

مُرَبَّعٌ

قَدَمٌ

هَرَمٌ

قَلَمٌ

3 أَكْتُبُ

م ـم

حَرْفُ النُّونِ ن ـنـ

1 أَقْرَأُ وَأُلاحِظُ حَرْفَ النُّون

أُشاهِدُ الْبانْدا وَأَغْصانَ الْبامْبو.

ـنـ ن

أَغْصانُ بامْبو.

بانْدا

حِصانٌ

نَمِرٌ

2 أَقْرَأُ وَأَصِلُ الْكَلِمَةَ بِالصّورَةِ الْمُناسِبَةِ

نَمْلَةٌ

نَحْلَةٌ

نَخْلَةٌ

نَسْرٌ

أَلْوانٌ

أَسْنانٌ

أَلْبانٌ

أَجْبانٌ

3 أَكْتُبُ

ن نـ

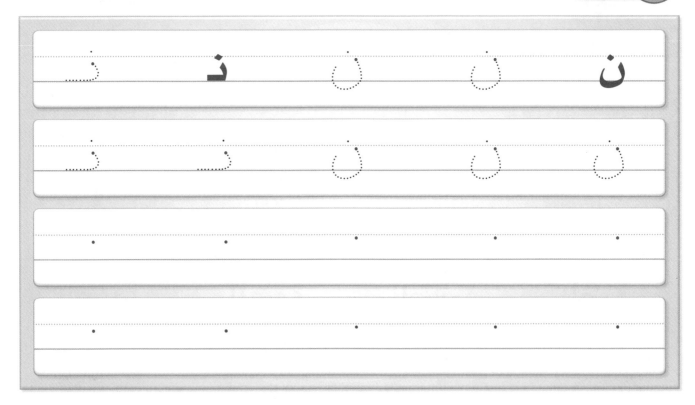

ألـ التَّعْريفِ

ألْ قَمَرِيَّة	ألْ شَمْسِيَّة
قَمَرُ — الْقَمَرُ	شَمْسُ — الشَّمْسُ

1 أَقْرَأُ وَأُلَوِّنُ (قمر) إِذا لَفَظْتُ ألـ وَ (شمس) إِذا لَمْ أَلْفِظْ ألـ

الْبَيْتُ	التُّفَّاحُ	الثَّعْلَبُ	الْجَزَرُ
الْحِصانُ	الْخَريفُ	الدَّجاجُ	الذُّرَةُ
الرُّمّانُ	الزَّيْتونُ	السَّيّارَةُ	الشَّجَرَةُ
الصَّيْفُ	الضَّوْءُ	الطّائِرَةُ	الظَّرْفُ

2 أَقْرَأُ وَأُلَوِّنُ ☾ إِذا لَفَظْتُ الـ وَ ☀ إِذا لَمْ أَلْفِظْ الـ

الْعُصْفورُ	الْغَزالُ	الْفُقْمَةُ	الْقِرْدُ
الْكَنْغَرُ	الْفيلُ	الْمَوْزُ	النَّهارُ
الْهَدِيَّةُ	الْوَرَقُ	الْيَدُ	الْأُخْطُبوطُ

3 أَقْرَأُ وَأَصِلُ بِالصّورَةِ الْمُناسِبَةِ

شَجَرَةُ الْمَوْزِ

شَجَرَةُ التُّفّاحِ

شَجَرَةُ النَّخيلِ

شَجَرَةُ الْبُرْتُقالِ

4 أَقْرَأُ

مَ	ما	مًا
مُ	مو	مٌ
مِ	مي	مٍ

نَ	نا	نًا
نُ	نو	نٌ
نِ	ني	نٍ

5 أَقْرَأُ وَأَصِلُ بِالصُّورَةِ الْمُناسِبَةِ

عَيْنٌ

أُذُنٌ

يَدٌ

قَدَمٌ

عَيْنان

أُذُنان

يَدان

قَدَمان

سِنٌّ

لَوْنٌ

قَلَمٌ

كِتابٌ

أَسْنانٌ

أَلْوانٌ

أَقْلامٌ

كُتُبٌ

6 أُرَكِّبُ، وَأَقْرَأُ

أُ | ذُ | نا | نِ

....

قـ | دَ | ما | نِ

....

أَلْـ | وا | نُ

....

أَغْـ | صا | نُ

....

الْـ | بُرْ | تُـ | قا | لُ

....

الْـ | خَـ | ريـ | فُ

....

الْـ | وَ | رَ | قُ

....

الْـ | فيـ | لُ

....

غُـ | يو | مُ

....

نُـ | جو | مُ

....

7 أُكَوِّنُ جُمْلَةً مِنَ الْكَلِماتِ التّالِيَةِ

داني   أَنا   عُمْري   سَنَواتٍ   سَبْعُ

....

داني وَالْهُدْهُدُ

1 أُرَدِّدُ وَأَقْرَأُ

وَقَفَ هُدْهُدٌ عِنْدَ مِياهِ النَّهْرِ.

رَآهُ داني وَأَعْجَبَهُ ريشُهُ.

نادى عَلى أُخْتِهِ بُدور.

هَرَبَ الْهُدْهُدُ وَطارَ بَعيدًا.

قالَتْ بُدورُ: ما أَحْلى الْحُرِّيَّةَ!

2 أَسْتَمِعُ وَأُرَدِّدُ

مِياهُ النَّهْرِ.

تاجُ الْهُدْهُدِ.

وَجْهُ بُدور.

وَجْهُ داني.

داني وَأُخْتُهُ بُدور.

ريشُ الْهُدْهُدِ.

حَرْفُ الْهاءِ

هـ ـهـ ه ـه

1 أَقْرَأُ وَأُلاحِظُ حَرْفَ الْهاءِ

وَقَفَ هُدْهُدٌ عِنْدَ مِياهِ النَّهْرِ.

هـ ـهـ ه ـهـ

رَآهُ داني وَأَعْجَبَهُ ريشُهُ.

ه ـه ـه

هُدْهُدٌ

نَهْرٌ

مِياهٌ

وَجْهٌ

2 أَقْرَأُ وَأَصِلُ الْكَلِمَةَ بِالصّورَةِ الْمُناسِبَةِ

عَيْنُهُ			عَيْنُها
أَنْفُهُ			أَنْفُها
فَمُهُ			فَمُها
أُذُنُه			أُذُنُها
يَدُهُ			يَدُها
قَدَمُهُ			قَدَمُها

3 أَكْتُبُ

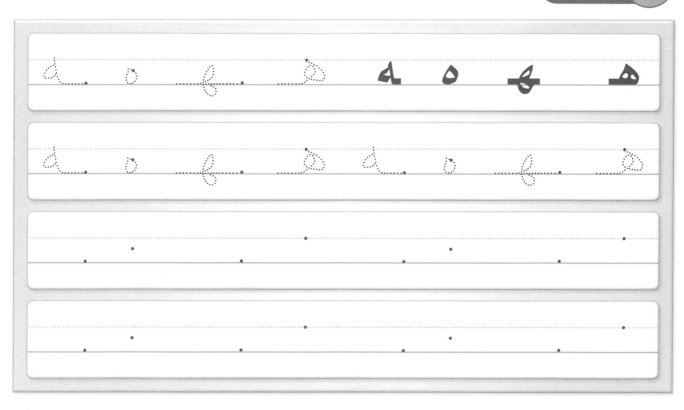

هـ ـهـ ـه ه

الأَلِفُ الْمَقْصورَة ى

1 أُرَدِّدُ وَأَقْرَأُ

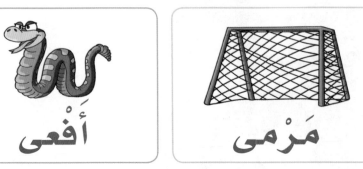

حَلْوى

مَرْمى

أَفْعى

2 أَقْرَأُ وَأَضَعُ ◯ حَوْلَ الأَلِفِ الْمَقْصورَةِ ى

رَأى مَشى نادى رَمى يَرْمي

3 أَكْتُبُ

ى

الْمَدَّةُ آ

1 أُرَدِّدُ وَأَقْرَأُ

مِرْآةٌ

آثارٌ

2 أَقْرَأُ وَأَضَعُ ◯ حَوْلَ الْمَدَّةِ آ

آكُلُ أَكَلَ آخُذُ أَخَذَ

3 أَكْتُبُ

آ آ آ الآ الآ

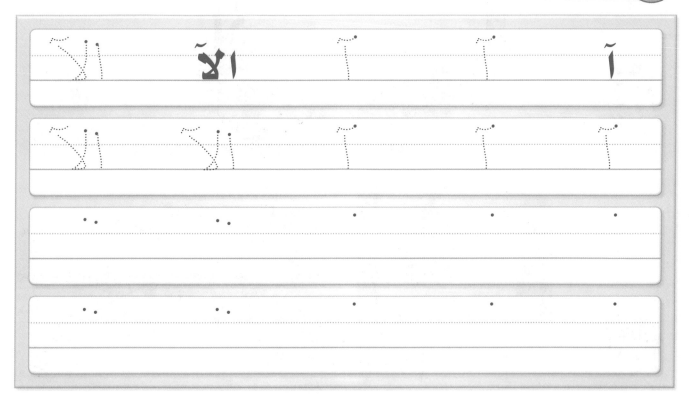

4 أَقْرَأُ

هَ ها
هُ هو
هِ هي

ـهَ ـها
ـهُ ـهو
ـهِ ـهي

هًا
هٌ
هٍ

ـهًا
ـهٌ
ـهٍ

هذا داني

هذِهِ بُدور

هذا غَزالٌ.

هذِهِ زَرافَةٌ.

هذا بَيْتٌ.

هذِهِ خِزانَةٌ.

5 أُرَكِّبُ وَأَكْتُبُ

هذا

كو بٌ

....

وَهذِهِ

شَوْ كَ ةٌ

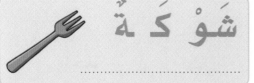

....

هذا

مَعْ جو نٌ

....

وَهذِهِ

فُ رْ شا ةٌ

....

هذا

صَ حْ نٌ

....

وَهذِهِ

مِ لْ عَ قَ ةٌ

....

6 أَمْلَأُ الْفَراغَ بِالْكَلِمَةِ الْمُناسِبَةِ وَأَقْرَأُ

هُوَ | هِيَ | أَنا

1 .... يَمْشي عَلى الرَّصيفِ.

2 .... تَمْشي عَلى الرَّصيفِ.

3 .... أُشاهِدُ آثارَ بِلادي.

4 .... أُحافِظُ عَلى مِياهِ بِلادي.

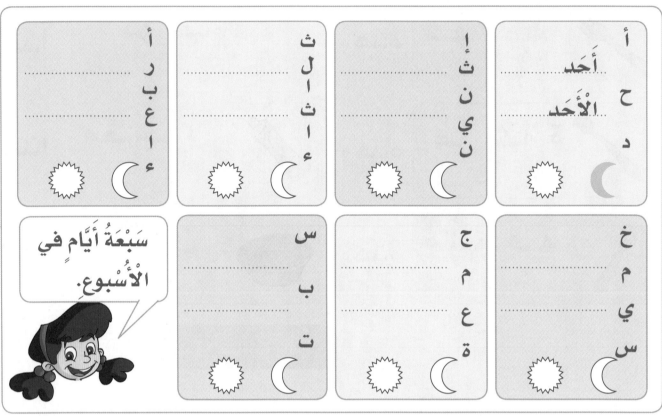

7 أُرَكِّبُ وَأَكْتُبُ كَما في الْمِثالِ

أ ح د — أَحَد — الْأَحَد

إ ث ن ي ن — .... — ....

ث ل ا ث ا ء — .... — ....

أ ر ب ع ا ء — .... — ....

خ م ي س — .... — ....

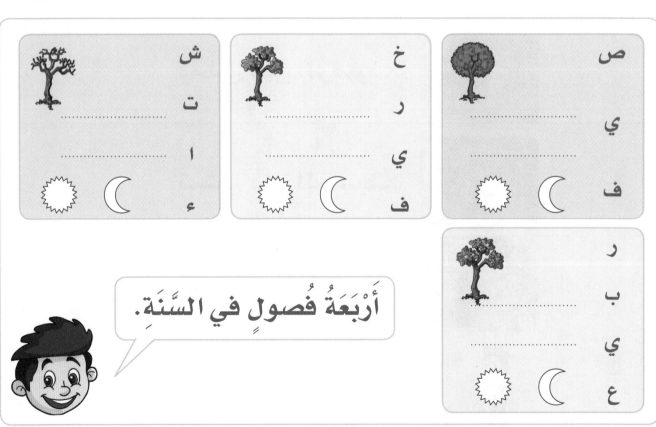

ج م ع ة — .... — ....

س ب ت — .... — ....

سَبْعَةُ أَيّامٍ في الْأُسْبوعِ.

ص ي ف — .... — ....

خ ر ي ف — .... — ....

ش ت ا ء — .... — ....

ر ب ي ع — .... — ....

أَرْبَعَةُ فُصولٍ في السَّنَةِ.

8 أَكْتُبُ جُمْلَةً عَنْ كُلِّ صورَةٍ

1 ....

2 ....

3 ....

4 ....

صَيْف	خَريف	بارِد
شِتاء	رَبيع	حارٌّ
بِلادي	جَميل	جِدًّا

9 أَكْتُبُ وَأَمْلأُ الْفَراغ

أَنا .... أَسْكُنُ في مَدينَةِ ....

أُحِبُّ أُسْرَتي، وَأُحِبُّ بَلَدي ....

أَرْسُمُ وَأُلَوِّنُ عَلَمَ بِلادي.

10 نَشيد

أَنا سَعيدٌ

عِنْدي أَلْعابي عِنْدي مَكْتَبَتي
عِنْدي عُصْفورٌ يَلْعَبُ في بَيْتي
أَرْسُمُ بِالْحاسوبْ ذَيْلًا لِلأَرْنوبْ
ثُمَّ أُلَوِّنُهُ بِاللَّوْنِ الْمَطْلوبْ
يا وَطَني إِنّي مِنْ قَلْبي أَهْواكْ
وَعَزيزٌ جِدًّا عِشْتَ فَما أَغْلاكْ
إِنّي مُعْتَزٌّ بِجَمالِ أَراضيكْ
دَوْماً ما أَحْلاكْ أَفْعَلُ ما يُرْضيكْ